Collection dirigée p

Chrétien de Tr

Le Chevalier au lion (Yvain)

classiques Hatier

Roman traduit de l'ancien français par Claude Buridant et Jean Trottin (Éditions Honoré Champion, 1972)

Un genre

Le roman de chevalerie

Hatier
ris 2004
BN 2-218-**74715**-1
SN 0184 0851

Ariane Carrère,
certifiée de lettres modernes

L'air du temps

1176-1181
Le Chevalier au lion (Yvain)

Dans ce roman de chevalerie, Chrétien de Troyes développe une culture chevaleresque et courtoise.

La poétesse Marie de France compose des lais et les dédie à Henri II.

À la même époque...

Louis VII achève son règne en 1180, mais auparavant fait sacrer son fils Philippe.

Thomas Beckett, archevêque de Canterbury, entre en lutte contre le roi d'Angleterre Henri II. Il est assassiné en 1170.

Marie de France, fille du roi de France, Louis VII, et d'Aliénor d'Aquitaine, tient sa cour à Troyes, en Champagne, auprès de son époux, le comte Henri Ier. Elle y accueille clercs et troubadours.

Sommaire

A li bons roys
Artus de bre
taigne · La
qui procede
nous ensen
gne · Que
nous soions
preus et cour
tois · Tint
court si riche
comme rois ·
A chele feste qui tant couste
Con doit nomer le penthecouste
Li rois fu a carduel en gales
Apres mengier par mi les sales
Li chir satropelerent
La ou dames les apelerent
Ou damoiseles ou pucheles
Li un recontoient nouveles
Li autres parloient damours
Des angousses et des dolours
Et des grant biens quen ont souvant
Li desiple de son couvant
Qui lors estoient riche et gens
Mais il y a petit des siens
Qui a bien pres lont tout laissie
Sen est amours mout abaissie
Car chil qui soloient amer
Se faisoient courtois clamer
Que preu et largue et honnirable
Mais or est tout tourne a fable

Car tiex y a qui riens nen sentent
Dient quil ayment et si mentent
Et chil fable mencongne en font
Qui sen vantent et droit nont
Mais pour parler de chiex qui furent
Laissons chiex qui en vie durent
Quencor vaut mix ce mest avis
Un courtois mors cuns vilains vis
Pour che me plaist a reconter
Chose qui fache a escouter
Du roy qui fu de tel tesmoing
Con en parole pres et loing
Si ma cort de tant as bretons
Que tant qui nomment des bons les nons
Et par aux sont ramenteu
Li bon chir esleu
Qui en amor se travellierent
Mais chel jour mout sesmerveillierent
De chil qui dentrer se leva
Si ot de tex qui mout pesa
Et qui mout grant parole en firent
Pour che que onques mais ne virent
En haute feste en chambre entrer
Pour dormir ne pour reposer
Mais chel jour ainsi li avint
Que la royne le retint
Si demoura tant de les li
Quil soublia et endormi
A luis de la chambre dehors
Fu dodinez et sagremors
Et keus et me sire · gauvains

Miniature du XIIIe siècle et texte manuscrit du *Chevalier au lion*.

Introduction

Chrétien de Troyes et *Le Chevalier au lion*

Au XIIe siècle, l'organisation de la France repose sur un système féodal fondé sur les droits et les devoirs des vassaux et de leurs suzerains. Les uns et les autres sont liés par un contrat : le vassal doit aide et conseil à son suzerain, à qui il prête hommage ; en retour, celui-ci doit protection à son vassal, à qui il accorde un fief.
Même si, grâce à l'autorité que lui confère le sacre, le roi de France est le suzerain suprême, il a pour vassaux de grands seigneurs souvent plus riches et plus puissants que lui, comme le duc de Normandie, Henri Plantagenêt, devenu roi d'Angleterre en 1154, ou le comte de Champagne dont la cour se tient à Troyes.
À cette époque, la Champagne est une région très prospère et renommée pour ses grandes foires qui se tiennent à Troyes, Bar-sur-Aube, Provins et Lagny. Cette richesse économique et une certaine stabilité politique expliquent le rayonnement culturel de la cour de Champagne où règne le comte Henri Ier, époux de Marie, fille de Louis VII et d'Aliénor d'Aquitaine.
Suivant l'exemple de sa mère, protectrice des arts, la comtesse Marie accueille à la cour clercs, trouvères et troubadours qui répandent une culture chevaleresque et courtoise.

Qu'est-ce que la littérature courtoise ?

C'est de cette vie de cour qu'est née la courtoisie, liée à une transformation des mœurs. En effet, à partir du XIIe siècle, un nouvel idéal chevaleresque tend à s'imposer : le chevalier n'est plus seulement un rude guerrier ; il se doit de protéger les faibles, d'être loyal et généreux mais il obéit aussi aux règles de l'amour courtois et est prêt à accomplir des prouesses pour prouver son attachement à sa dame. Cet amour courtois n'est pas une passion aveugle mais se fonde sur la beauté physique et morale de la dame. Le roi Arthur et ses chevaliers dont les légendes se répandent à cette époque (ce qu'on appelle

la « matière de Bretagne » sont le reflet de ce nouvel état d'esprit. Ils proposent des modèles d'idéal courtois dans lesquels les seigneurs et chevaliers pouvaient se voir tels qu'ils le souhaitaient.
L'un des représentants les plus illustres de cette littérature courtoise est justement un des clercs accueillis à la cour de Champagne, Chrétien de Troyes.

***Le Graal et les chevaliers de la Table ronde*, miniature.**

Qui est Chrétien de Troyes ?

On dispose de très peu de renseignements sur Chrétien de Troyes, dont on apprend le nom dans un de ses romans, *Erec et Enide* ; son prénom est mentionné dans les derniers vers du *Chevalier au lion (Yvain)*.
Chrétien de Troyes serait né en Champagne vers 1135. Il aurait séjourné à la cour de Champagne dans les années 1170-1181, puis à la cour de Flandre car *Le Chevalier de la Charrette (Lancelot)*, écrit à cette époque, est dédié à Marie de Champagne tandis que son dernier roman, *Perceval ou le Conte du Graal*, est écrit pour Philippe d'Alsace, comte de Flandre depuis 1168. Chrétien de Troyes serait mort vers 1190.
Si on connaît les titres de certaines de ses œuvres, c'est parce qu'elles sont mentionnées dans le prologue de *Cligès*. Chrétien de Troyes aurait commencé par des imitations d'Ovide avant de composer un conte sur le mariage du roi Marc, conte aujourd'hui perdu.
Dans ses œuvres les plus connues comme *Erec et Enide*, *Le Chevalier de la Charrette (Lancelot)*, *Le Chevalier au lion (Yvain)* et *Perceval ou le Conte du Graal*, surgissent la cour du roi Arthur et les chevaliers de la Table ronde, Gauvain, Lancelot, Yvain et Perceval qu'il contribuera à immortaliser.

Qu'est-ce que « la matière de Bretagne » ?

Cette expression désigne l'ensemble des récits venus de Bretagne (la Grande et la Petite, voir la carte, p. 9) qui concernent la légende du roi Arthur.
Historiquement, Arthur serait un chef guerrier ayant vécu en Angleterre vers 490 après Jésus-Christ. C'est d'abord en pays celte (la Bretagne) que s'est construite la figure mythique du roi Arthur, avant d'être enrichie et remaniée par les écrivains du Moyen Âge.
Vers 1135, Geoffroy de Monmouth transcrit, en latin, la légende celtique du roi Arthur dans l'*Historia Regum Brittaniae* (Histoire des rois de Bretagne). Le poète normand Wace traduit et enrichit ce récit dans le *Roman de Brut* (vers 1155) qui connaît un succès immédiat.
C'est sur cette « matière de Bretagne » que s'appuie Chrétien de Troyes qui fait de la cour du roi Arthur un modèle de civilisation et le point de départ des aventures des chevaliers. Le roi lui-même est le symbole du souverain loyal et juste. Ses chevaliers incarnent la perfection

chevaleresque mais sont aussi le reflet de la société de son époque. Arthur est entouré de personnages qui reviennent d'un récit à l'autre, tels son épouse Guenièvre, son neveu Gauvain, modèle des chevaliers, et le sénéchal Keu, avec qui le roi a été élevé.

Qui est Yvain, le chevalier au lion ?

Fils du roi Urien, le chevalier Yvain entreprend, dans la forêt de Brocéliande située en Petite Bretagne (voir carte, ci-contre), l'aventure de la fontaine (voir extrait 3, p. 27) afin de venger l'honneur de sa famille.

Le Chevalier au lion (*Yvain*) retrace le conflit qui se pose à tout chevalier, tiraillé entre le désir d'aventure et les devoirs du mariage. C'est une véritable initiation que vivra le héros dont le caractère sera renforcé par les nombreuses épreuves qu'il devra affronter.

Les lieux des romans arthuriens

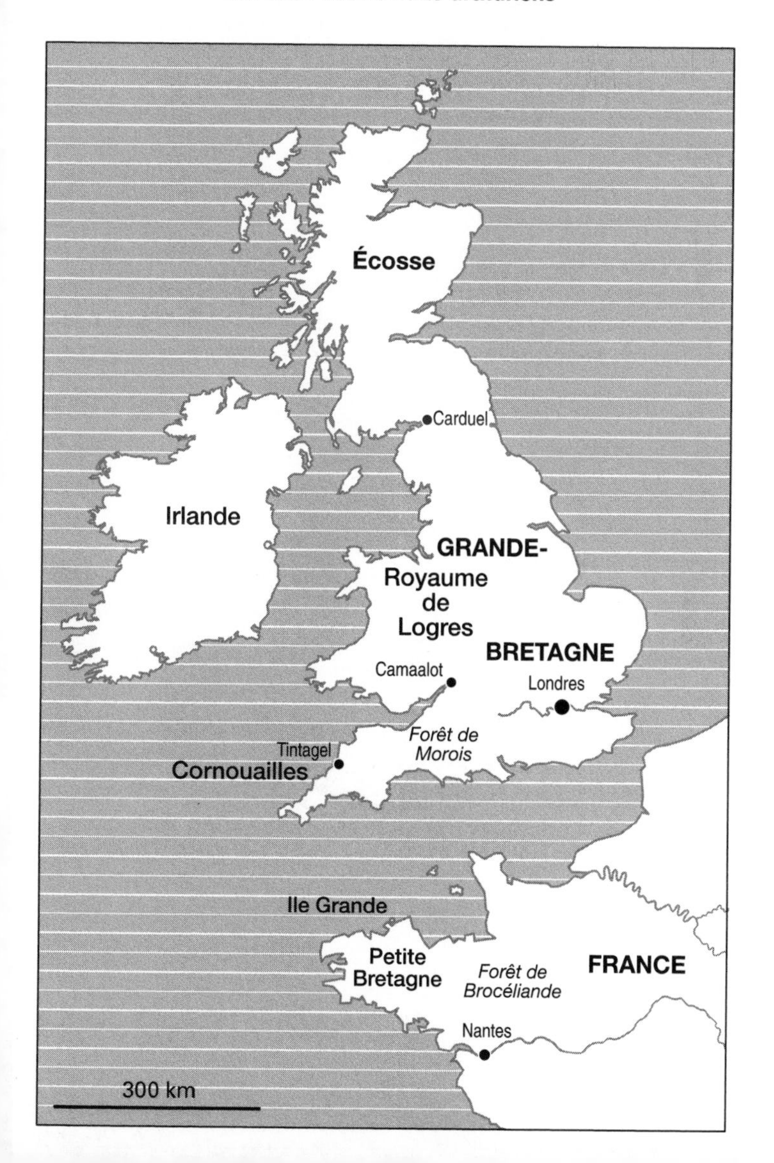

Chrétien de Troyes

Le Chevalier au lion (Yvain)

Extrait 1

« Tu verras la fontaine qui bouillonne... »

Arthur, le noble roi de Bretagne, dont l'excellence nous enseigne vaillance et courtoisie[1], tint sa cour avec une royale magnificence, à cette fête si importante qu'on appelle la Pentecôte. Le roi était à Carduel, au pays de Galles ; après le 5 repas, à travers toute la grand-salle, les chevaliers se groupèrent à l'appel des dames, des demoiselles ou de leurs suivantes. Les uns contaient des histoires, les autres parlaient. [...]

***Portrait du roi Artus*, miniature (XIVe siècle).**

1. Politesse raffinée.

C'est pourquoi je veux conter une histoire pleine d'intérêt à propos du roi qui eut une telle réputation qu'on en parle en tous lieux; j'en suis d'accord avec les Bretons: toujours durera son renom et grâce à lui on garde le souvenir des vaillants chevaliers d'élite qui s'illustrèrent au prix de tant de peines. [...]

... Dehors, se trouvaient Didonel, Sagremor, Keu, mon seigneur Gauvain, ainsi que mon seigneur Yvain, et avec eux Calogrenant, un chevalier fort avenant[2]; il se mit à leur faire un récit qui n'était pas à son honneur mais à sa honte. [...]

Parti en quête d'aventures sept ans auparavant, Calogrenant est accueilli un soir par un vavasseur[3] qui l'héberge pour la nuit. Le lendemain, après avoir pris congé de son hôte, il repart.

« Je n'étais guère éloigné du logis quand je trouvai, dispersés dans un essart[4], d'affreux taureaux sauvages qui se livraient bataille et menaient un si grand vacarme, comme des bêtes farouches et indomptables, que, pour vous en dire la vérité, j'eus un bref mouvement de recul; car aucun animal n'est plus farouche ni plus indomptable qu'un taureau. Un vilain qui ressemblait à un Maure[5], laid et hideux à démesure, si laide créature qu'on ne saurait le dire en paroles, était assis sur une souche, une grande massue à la main. Je m'approchai du vilain et je vis qu'il avait la tête plus grosse que celle d'un roncin[6] ou de toute autre bête, des cheveux en broussaille, un front pelé, de deux empans[7] de large, les oreilles velues et grandes comme celles d'un éléphant, les sourcils énormes, la

2. Agréable, aimable.
3. Arrière-vassal, homme lié personnellement à un seigneur.
4. Terre défrichée.
5. Habitant du Nord de l'Afrique, sarrasin.
6. Cheval de trait.
7. Mesure de longueur qui représente l'intervalle compris entre l'extrémité du pouce et celle du petit doigt lorsque la main est grande ouverte.

face plate, des yeux de chouette, un nez de chat, la bouche fendue comme d'un loup, des dents de sanglier, aiguës et rousses, et rousse la barbe, les moustaches tortues[8]. Appuyé sur sa massue, il portait un vêtement si étrange qu'on n'y voyait ni lin ni laine, mais il avait, attachées à son cou, deux peaux fraîchement écorchées, de deux bœufs ou de deux taureaux.

Le vilain se dressa sur ses pieds à l'instant même où il me vit approcher de lui ; voulait-il porter la main sur moi, quelles intentions avait-il, je ne sais, mais je me mis en position de défense tant que je le vis debout, tout coi[9] et immobile, monté sur un tronc ; il avait bien dix-sept pieds[10] de haut ; il me fixa sans dire un mot, non plus que n'eût fait une bête, et je crus qu'il ne savait parler et qu'il était dépourvu de raison. Toutefois, je m'enhardis assez pour lui dire :

« Hé, dis-moi donc si tu es ou non une bonne créature. »

Il me répondit : « Je suis un homme.

– Quelle espèce d'homme ?

– Tel que tu vois, et je ne change jamais.

– Que fais-tu ici ?

– Je m'y tiens, et garde les bêtes de ce bois.

– Tu les gardes ? Par Saint-Pierre de Rome, elles ne savent ce qu'est un homme ; je ne crois pas qu'en une plaine ni en un bois on puisse garder une bête sauvage, ni nulle part ailleurs, d'aucune façon, si elle n'est attachée ou parquée.

– Je garde pourtant celles-ci et m'en fais obéir : jamais elles ne sortiront de cet enclos.

– Toi ? Comment donc ? Dis-m'en la vérité.

– Il n'en est aucune qui ose bouger dès qu'elle me voit venir : lorsque je puis en tenir une, je l'empoigne par les cornes, de mes poings que j'ai durs et puissants, si bien que les autres en

8. Tordues.
9. Tranquille et silencieux.
10. Ancienne unité de mesure, un pied = 0,324 m.

tremblent de peur et s'assemblent autour de moi comme pour
65 crier grâce ; mais nul autre que moi ne pourrait, s'il se trouvait au milieu d'elles, être sûr d'éviter une mort immédiate. Ainsi suis-je le seigneur de mes bêtes. Mais toi, à ton tour, dis-moi donc quelle espèce d'homme tu es et ce que tu cherches.

70 – Je suis, comme tu vois, un chevalier qui cherche sans pouvoir trouver ; ma quête[11] a été longue et elle est restée vaine.

– Et que voudrais-tu trouver ?

– L'aventure, pour éprouver ma vaillance et mon courage. Je te demande donc et te prie instamment de m'indiquer, si tu
75 en connais, quelque aventure ou quelque prodige.

– Pour cela, fait-il, il faudra t'en passer : je ne connais rien en fait d'aventure, et jamais je n'en ai entendu parler. Mais si tu voulais aller près d'ici jusqu'à une fontaine, tu n'en reviendrais pas sans peine, à moins de lui rendre son dû. À deux
80 pas tu trouveras tout de suite un sentier qui t'y mènera. Va tout droit devant toi, si tu ne veux pas gaspiller tes pas, car tu pourrais vite t'égarer : il ne manque pas d'autres chemins. Tu verras la fontaine qui bouillonne, bien qu'elle soit plus froide que le marbre, et l'ombrage le plus bel arbre que jamais
85 Nature ait pu créer. En tout temps persiste son feuillage car nul hiver ne peut l'en priver. Il y pend un bassin[12] de fer, au bout d'une chaîne si longue qu'elle descend jusque dans la fontaine. Près de la fontaine tu trouveras un bloc de pierre, de quel aspect tu le verras ; je ne saurais te le décrire, car jamais
90 je n'en vis de tel ; et, de l'autre côté, une chapelle, petite mais très belle. Si avec le bassin tu veux prendre de l'eau et la répandre sur la pierre, alors tu verras une telle tempête que dans ce bois ne restera nulle bête, chevreuil ni cerf, ni daim

11. Recherche.
12. Récipient creux destiné à recevoir de l'eau.

ni sanglier, même les oiseaux s'en échapperont; car tu verras
95 tomber la foudre, les arbres se briser, la pluie s'abattre, mêlée de tonnerre et d'éclairs, avec une telle violence que, si tu peux y échapper sans grand dommage ni sans peine, tu auras meilleure chance que nul chevalier qui y soit jamais allé. »

Scène de banquet, **miniature (XIVe siècle).**

Repérer et analyser

La situation d'énonciation

Peu de gens sachant lire au Moyen Âge, les romans étaient destinés à être lus par l'auteur devant des assemblées. Le public des romans de chevalerie était essentiellement composé de seigneurs, de leurs dames et de clercs cultivés.

1 **a.** Qui est le narrateur dans les lignes 1 à 17 ?
b. Qui le pronom personnel « nous » (l. 1) désigne-t-il ?
2 Qui parle à partir de la ligne 21 ? à qui ? Justifiez votre réponse.

Le cadre spatio-temporel

Le Chevalier au lion (Yvain) est un roman breton, c'est-à-dire un roman dont l'action se déroule en Bretagne (on entendait par Bretagne la Grande-Bretagne et l'Armorique, l'actuelle Bretagne, voir carte, p. 9). Les romans bretons s'inspirent de ce que l'on appelle « la matière de Bretagne », expression désignant les légendes bretonnes et plus particulièrement la légende arthurienne, centrée autour de la cour du roi Arthur et de ses chevaliers (voir l'introduction, p. 7-8).

3 **a.** Dans quel lieu et à quelle époque l'action se déroule-t-elle en ce début de roman ? Appuyez-vous sur les indications de lieu, que vous pourrez repérer sur la carte (p. 9) et sur les indications de temps.
b. Que célèbre la fête de la Pentecôte ? Aidez-vous du dictionnaire.
4 Dans quel lieu Calogrenant rencontre-t-il le vilain ?

Les personnages et leurs relations

Le roi Arthur

Arthur, le roi de Bretagne, serait historiquement un chef guerrier celtique ayant vécu en Grande-Bretagne vers 490 après J.-C. : il aurait combattu pour libérer son pays des envahisseurs saxons. Le personnage a pris une dimension légendaire. À sa cour se réunissent des chevaliers d'exception, les chevaliers de la Table ronde, tels Lancelot, Gauvain et Perceval.

5 **a.** Relevez les termes qui caractérisent le roi Arthur ou qui s'appliquent à lui ou à sa cour. Quelle image se dégage de ce personnage ?
b. Pourquoi le narrateur se réfère-t-il à ce personnage au début du récit ?

Le personnage du chevalier : Calogrenant

Les chevaliers font preuve d'esprit chevaleresque, c'est-à-dire de vaillance, de générosité, de loyauté. Ils font également preuve de qualités d'hommes de cour (courtoisie, raffinement). Pour prouver leur vaillance, ils entreprennent quêtes et aventures.

6 **a.** « Ma quête a été longue et elle est restée vaine » (l. 71). De quoi Calogrenant est-il en quête ?
b. Pourquoi poursuit-il cette quête ? Pour répondre, citez précisément le texte.

Le vilain

Dans *Le Chevalier au lion (Yvain)* comme dans l'ensemble des romans arthuriens, le vilain est un être grossier à l'opposé du chevalier et de l'idéal courtois.

7 **a.** Cherchez dans le dictionnaire le sens et l'origine des mots « vilain », « chevalier » et « courtois ».
b. Relevez les adjectifs qualificatifs qui caractérisent le vilain. Sont-ils péjoratifs ou mélioratifs ?
c. Relevez les comparaisons qui le décrivent. Quel est l'effet produit ?
d. En quoi le vilain est-il différent du chevalier ?

Les éléments merveilleux : la fontaine merveilleuse

Les romans de chevalerie présentent souvent des éléments merveilleux possédant un pouvoir magique : il peut s'agir de lieux (forêt, fontaine…), d'objets (anneau d'invisibilité, onguent…), de personnages (géant, fée…).

8 Relevez, dans la description de la fontaine, des éléments extraordinaires.

9 Quel est le pouvoir de cette fontaine ?

Le mode de narration

Le dialogue

Le dialogue se repère par l'emploi d'une ponctuation ou de marques typographiques spécifiques. Le dialogue a plusieurs fonctions : par exemple, il peut permettre à l'action de progresser, il peut contribuer à construire un personnage, il peut marquer un rapport de force entre des personnages.

10 Repérez le passage dialogué. Quels signes typographiques marquent le début et la fin du dialogue ? Qui sont les interlocuteurs ?

11 Le langage du vilain est-il en harmonie avec son physique ? Justifiez votre réponse. Pourquoi le vilain ne considère-t-il pas comme une aventure le fait d'aller à la fontaine pour y provoquer la tempête ?
12 Quel sentiment le chevalier éprouve-t-il d'abord envers le vilain ? Son comportement change-t-il vers la fin du dialogue ? Justifiez.
13 Le dialogue entre Calogrenant et le vilain est-il selon vous important pour l'action ? Quel rôle le vilain va-t-il jouer auprès du chevalier ?

Écrire

Rédiger un portrait
14 De retour chez lui, le vilain décrit à sa famille le chevalier qu'il a rencontré. En utilisant à votre tour des comparaisons significatives, imaginez comment le vilain va décrire cette « espèce d'homme ».

Se documenter

L'origine du mot « roman »
À l'origine, le mot « roman » désignait un texte écrit en langue romane, langue parlée par le peuple, intermédiaire entre le latin et l'ancien français, et non en latin, langue officielle des savants. Les récits d'aventures étaient écrits en roman et en vers de huit syllabes (octosyllabes). Peu à peu, vers 1160, le mot « roman » en est venu à désigner les récits eux-mêmes : le roman étant bien à l'origine un récit d'aventures merveilleuses vécues par des personnages héroïques.

Par ce me plest a reconter
Chose qui face a escouter,
Del roi, qui fu de tel tesmoing,
Qu'an an parole pres et loing ;
Si m'acort de tant as Bretons,
Que toz jorz mes vivra ses nons ;
Et par lui sont ramenteü
Li buen chevalier esleü,
Qui an enor se traveillierent.

Extrait du manuscrit du *Chevalier au lion (Yvain)*.

Extrait 2

« Je décidai de voir le prodige de la tempête... »

« Je quittai le vilain dès qu'il m'eut indiqué le chemin. Peut-être était-il tierce passée[1] et l'on pouvait approcher de midi lorsque j'aperçus l'arbre et la fontaine. Je sais bien, quant à l'arbre, que c'était le plus beau pin qui jamais eût grandi sur 5 terre. À mon avis, jamais il n'eût plu assez fort pour qu'une seule goutte d'eau le traversât, mais dessus glissait la pluie tout entière. À l'arbre je vis pendre le bassin, il était de l'or le plus fin qui ait encore jamais été à vendre en nulle foire. Quant à la fontaine, vous pouvez m'en croire, elle bouillonnait comme 10 de l'eau chaude. La pierre était d'une seule émeraude, évidée comme un vase, soutenue par quatre rubis plus flamboyants et plus vermeils que n'est au matin le soleil quand il paraît à l'orient; sur ma conscience, je ne vous mens pas d'un seul mot.

Je décidai de voir le prodige de la tempête et de l'orage et je 15 fis là une folie : j'y aurais renoncé volontiers, si j'avais pu, dès l'instant même où, avec l'eau du bassin, j'eus arrosé la pierre creusée. Mais j'en versai trop, je le crains ; car alors je vis dans le ciel de telles déchirures que de plus de quatorze points les éclairs me frappaient les yeux et les nuées, tout pêle-20 mêle, jetaient pluie, neige et grêle. La tempête était si terrible et si violente que cent fois je crus être tué par la foudre qui tombait autour de moi et par les arbres qui se brisaient. Sachez que grande fut ma frayeur, jusqu'à ce que le temps fût apaisé ! Mais Dieu me rassura vite car la tempête ne dura guère et 25 tous les vents se calmèrent ; dès qu'il le voulut, ils n'osèrent

1. Neuf heures passées.

L'arbre aux oiseaux, miniature (XIVe siècle).

souffler. Quand je vis le ciel clair et pur, tout joyeux je repris assurance. Car la joie, si du moins je sais ce que c'est, fait vite oublier grande peine. Dès que l'orage fut passé, je vis, réunis dans le pin, tant d'oiseaux, si l'on veut le croire, qu'il 30 ne semblait y avoir ni branche ni feuille qui n'en fût toute couverte ; l'arbre n'en était que plus beau. Le doux chant des oiseaux formait un harmonieux concert ; chacun modulait un chant différent, car jamais je n'entendis l'un chanter la mélodie de l'autre. Leur joie me réjouit, et j'écoutai jusqu'à ce qu'ils 35 eussent accompli leur office[2] à loisir : jamais si belle fête n'enchanta mon oreille, et certes, je ne pense pas que nul en jouisse s'il ne va écouter celle où je goûtai tant de plaisir que je croyais être en extase.

J'étais toujours là lorsque j'entendis venir des chevaliers, du 40 moins le pensai-je : j'étais persuadé qu'ils étaient dix, tant menait de fracas et de bruit un chevalier qui arrivait sans compagnie. En le voyant approcher seul, je resserre aussitôt les sangles de mon cheval et je le monte sans tarder ; et lui, l'air belliqueux[3], vient plus rapide qu'un alérion[4] et plus terrible 45 d'allure qu'un lion. Hurlant aussi fort qu'il pouvait, il se mit à me défier en disant :

« Vassal, vous m'avez, sans défi, gravement offensé. Vous auriez dû me provoquer, si vous en aviez eu quelque raison, ou du moins réclamer votre droit, avant de me chercher 50 querelle. Mais si je puis, seigneur vassal, sur vous retombera le mal que m'a causé ce patent préjudice[5] dont j'ai la preuve autour de moi, celle de mon bois jeté bas. Quiconque est battu doit se plaindre ; et je me plains : j'en ai le droit : vous m'avez, hors de ma maison, chassé par la foudre et la pluie. Vous 55 m'avez causé grand tracas, et maudit soit qui s'en réjouit,

2. Tâche.
3. L'air agressif.
4. Aigle.
5. Dommage, tort évident fait à quelqu'un.

car en mon bois et en mon château vous m'avez livré tel assaut que ni grande tour ni haut mur n'eussent pu m'être d'aucun secours. Personne n'y eût été à l'abri, même dans une forteresse de pierre dure ou de bois. Mais soyez sûr que désormais vous n'obtiendrez de moi trêves ni paix. »

À ces mots, nous nous lançâmes l'un contre l'autre, l'écu[6] au bras et chacun se couvrant du sien. Le chevalier avait un cheval vigoureux et une lance roide[7] ; il était, sans aucun doute, plus grand que moi de toute la tête. Aussi me trouvais-je en bien mauvaise posture, car j'étais plus petit que lui et son cheval meilleur que le mien. Je dis toute la vérité, sachez-le bien, pour sauver mon amour-propre. Je lui assénai le plus grand coup que je pus frapper, car jamais je n'y vais de main morte ; je l'atteignis à la boucle de l'écu ; j'y mis toutes mes forces si bien que ma lance vola en éclats ; la sienne resta entière car elle n'était point légère mais bien plus lourde, à mon avis, que nulle lance de chevalier : jamais je n'en vis d'aussi grosse. À son tour, le chevalier me frappa si rudement que, par-dessus la croupe de mon cheval, il me fit m'affaler à terre tout à plat ; il me laissa penaud et confus sans plus m'accorder un regard. »

6. Bouclier.

7. Raide, rigide.

Questions

Repérer et analyser

La situation d'énonciation

1 Qui parle dans cet extrait ?

2 **a.** « Vous pouvez m'en croire » (l. 9) : qui sont les destinataires (reportez-vous à l'extrait 1, p. 12) ?

b. Relevez d'autres adresses aux destinataires. Pourquoi selon vous l'énonciateur intervient-il ainsi dans son récit ?

Le cadre spatio-temporel

3 Précisez le cadre spatio-temporel : dans quel lieu précis et à quel moment de la journée la scène se déroule-t-elle ? Pour répondre, citez des indices du texte.

La progression du récit

4 Quels sont les événements qui se succèdent ? Divisez cet extrait en trois épisodes auxquels vous donnerez un titre.

5 Quels sont les deux épisodes violents de ce passage ?

Les éléments merveilleux (voir p. 18)

L'arbre, la fontaine et la tempête

6 Relevez les mots, expressions et comparaisons qui caractérisent le bassin et la fontaine. Quelle impression se dégage de cette description ?

7 Cette fontaine n'est-elle qu'un élément du décor ou bien joue-t-elle un rôle important dans la progression de l'action ? Justifiez votre réponse.

8 Quel arbre se trouve à côté de la fontaine ? Quelle est sa caractéristique essentielle ?

9 **a.** « Je décidai de voir le prodige de la tempête » (l. 14) : en quoi la tempête est-elle prodigieuse ?

b. Relevez les mots et expressions qui soulignent la violence de la tempête puis ceux qui marquent le retour au calme.

Les combats

Les romans de chevalerie présentent de nombreuses scènes de combats, souvent très violents. En effet, combattre est l'occupation principale des chevaliers pour qui guerres et tournois se succèdent; c'est pour eux l'occasion de se prouver leur vaillance et de la montrer aux yeux du monde.

10 Qui sont les deux adversaires? Pour quelle raison combattent-ils?

11 Relevez le champ lexical de la violence.

12 **a.** Avec quelle arme les deux chevaliers combattent-ils?

b. Qu'est-ce qu'un écu?

13 Qui prend le dessus? Relevez les deux adjectifs qui qualifient le vaincu et précisez leur sens.

Les personnages et leurs relations

Le chevalier Calogrenant

14 **a.** Comment Calogrenant justifie-t-il sa défaite devant le mystérieux chevalier? Citez le texte.

b. S'est-il néanmoins montré courageux? Justifiez votre réponse.

c. Relevez deux adjectifs qui qualifient son état d'esprit à la fin de l'épisode. Précisez leur sens.

d. Qu'y a-t-il d'humiliant pour lui dans l'attitude de son adversaire à ce moment-là?

e. Comment jugez-vous l'attitude de Calogrenant dans cet extrait? Vous semble-t-elle digne d'un chevalier? Justifiez votre réponse.

Le chevalier de la fontaine

15 **a.** Que signifie le mot «vassal» au Moyen Âge? Sur quel ton le chevalier de la fontaine s'adresse-t-il à Calogrenant?

b. Comment justifie-t-il sa colère? Est-il ou non dans son bon droit?

Écrire

Imaginer un récit merveilleux

16 Un beau jour, vous vous promenez dans la forêt et vous apercevez une étrange fontaine; intrigué(e), vous vous approchez et effleurez l'eau de la main: l'eau s'écarte et… Imaginez la suite.

Se documenter

Le thème de la fontaine

Le thème de la fontaine associé au déchaînement de la tempête trouve son origine dans la tradition celtique. Il est repris par de nombreux écrivains. Dans la légende germanique de Galand le forgeron, une fée est surprise pendant qu'elle se baigne dans une fontaine dans les bois. Dans le *Roman de Rou*, Robert Wace, un clerc anglo-normand qui a conté l'histoire du roi Arthur, évoque, dans la forêt de Brocéliande, la fontaine de Barenton : quand on jette une pierre dans l'eau, on provoque une pluie diluvienne. On trouve aussi ce thème dans certains contes de fées. Ainsi, dans *Les Fées* de Charles Perrault, c'est près d'une fontaine que l'héroïne rencontre une fée qui a pris l'apparence d'une pauvre femme et qui transformera son destin.

***La fontaine d'amour*, miniature (XIVe siècle).**

Extrait 3

« J'irai venger votre honte... »

Le chevalier de la fontaine s'est emparé du cheval de Calogrenant qui, honteux, revient sans monture.

« Ainsi allai-je, ainsi revins-je ; au retour, je me tins pour un écervelé. Voilà mon histoire : j'ai eu la sottise de vous la conter, 5 ce que jamais encore je n'avais voulu faire.

– Par ma tête, fait mon seigneur Yvain, vous êtes mon cousin germain et nous devons nous porter une vive affection ; mais je puis bien vous traiter de fou pour m'avoir si longtemps caché cette aventure ; ne vous offensez pas, je vous prie, de ce quali- 10 ficatif, car, s'il m'est loisible[1], j'irai venger votre honte. [...] »

Tandis qu'ils parlaient ainsi, le roi sortit de la chambre où il s'était longuement attardé, ayant dormi jusqu'à cet instant. Et les barons, à sa vue, de se lever tous devant lui ; le roi les fit tous se rasseoir et prit place auprès de la reine, qui aussitôt 15 lui rapporta sans rien omettre, l'histoire de Calogrenant, avec infiniment de talent. Le roi y prit grand intérêt, et jura par trois fois sans réserve, sur l'âme d'Uterpandragon, son père, sur celle de son fils et celle de sa mère, qu'avant une quinzaine écoulée, il irait voir de ses yeux la fontaine, et la tempête 20 et la merveille : il y sera à la vigile de mon seigneur Saint Jean-Baptiste, et y prendra la nuit son gîte ; et avec lui viendraient, ajouta-t-il, tous ceux qui voudraient y aller. La décision du roi lui valut un surcroît d'estime auprès de la cour tout entière, tant brûlaient du désir de partir les barons et 25 les jeunes gens.

1. Permis, possible.

Mais Yvain, qui voulait s'y rendre en solitaire, part en cachette pour être le premier à vivre cette aventure. Il retrouve le vilain qui lui indique à lui aussi le chemin.

Puis il fit route jusqu'à la fontaine et vit tout ce qu'il voulait voir. Sans perdre un seul instant il renversa d'un coup, sur le perron, le bassin rempli d'eau. Aussitôt il venta et il plut, et la tempête se déchaîna comme prévu. Et quand Dieu rendit la sérénité[2], les oiseaux vinrent dans le pin et firent une fête merveilleuse au-dessus de la fontaine périlleuse.

Avant que ce joyeux ramage[3] n'eût cessé, arriva, de courroux[4] plus ardent que braise, un chevalier menant grand bruit, comme s'il chassait un cerf en rut ; à peine se furent-ils aperçus qu'ils se lancèrent l'un contre l'autre en montrant bien qu'ils se vouaient une haine mortelle. Armés chacun d'une solide et roide lance, ils échangent des coups si terribles qu'ils transpercent à la fois leurs écus ; les hauberts se démaillent, les lances se fendent et éclatent et les tronçons volent en l'air. C'est alors qu'ils s'affrontent à l'épée ; ils ont, au choc des lames, tranché les guiges[5] des écus qu'ils ont si bien hachés menu, dessus et dessous, que les débris en pendent et qu'ils ne trouvent, à s'en couvrir, qu'un vain abri ; les écus portent de telles taillades qu'à découvert, sur les côtés, sur la poitrine et sur les hanches, les jouteurs font l'essai de leurs épées étincelantes. Farouchement ils se mesurent sans céder un seul pied de terrain non plus que ne feraient deux rocs. Jamais deux chevaliers ne mirent plus de rage à précipiter l'instant de leur mort. Ils veillent à ne pas gaspiller leurs coups, mais ils s'emploient à frapper de leur mieux, bosselant et faussant les heaumes, faisant voler les mailles des hauberts, combat si rude

2. Calme, tranquillité.
3. Chant des oiseaux.
4. Très grande colère.
5. Courroies.

qu'ils se ravissent des flots de sang. Car la vigueur de leurs assauts met leurs hauberts en si piteux état qu'ils n'ont, pour chacun d'eux, guère plus de valeur qu'un froc de moine. En plein visage ils se frappent d'estoc[6] ; qui donc ne s'émerveillerait de voir s'éterniser une bataille aussi terrible et aussi dure ? Mais ils sont tous deux si indomptables que l'un ne céderait à l'autre, à aucun prix, un pouce de terrain, sans le malmener jusqu'à ce que mort s'ensuive ; et ils agirent en vrais preux[7] en se gardant bien de blesser ni d'estropier leurs montures où que ce fût, et pas une fois ils ne mirent pied à terre ; ainsi la bataille n'en fut que plus belle.

À la fin, mon seigneur Yvain écartèle le heaume du chevalier qui, tout étourdi sous le coup, sentit ses forces le quitter. Quel trouble s'empara de lui ! Jamais encore il n'avait essuyé un coup aussi effroyable ; le fer lui avait, sous la coiffe, fendu la tête jusqu'à la cervelle, si bien que des fragments ensanglantés en rougissaient les mailles du brillant haubert ; si grande fut la souffrance qu'il éprouva que le cœur faillit lui manquer. S'il prit la fuite, comment le lui reprocher ? Il se sentait blessé à mort, toute défense eût été inutile. Son choix est fait : vers son château il s'enfuit à bride abattue ; le pont était baissé, la porte grande ouverte ; et mon seigneur Yvain de se ruer à sa poursuite, donnant de l'éperon autant qu'il peut. Ainsi que le gerfaut[8] s'élance vers la grue, prenant son vol de loin, et tant s'approche d'elle qu'il croit la tenir, sans pourtant la toucher, ainsi fuit le premier et l'autre le pourchasse, de si près qu'il pourrait, peu s'en faut, l'étreindre à bras-le-corps, sans jamais cependant parvenir à l'atteindre, alors qu'il est assez proche du fugitif pour entendre les gémissements que lui arrache la souffrance ; mais toujours l'un s'efforce de fuir et l'autre

6. Se frapper avec la pointe de l'épée.
7. Vaillants chevaliers.
8. Oiseau de proie.

85 s'évertue à lui donner la chasse, craignant d'avoir perdu sa peine s'il ne s'empare de lui mort ou vif, car il a encore en mémoire les sarcasmes[9] que lui lança mon seigneur Keu[10]. Il est loin de s'être acquitté de la promesse faite à son cousin et on ne lui accordera aucun crédit, s'il n'apporte de son exploit 90 des preuves authentiques.

À force d'éperon, le fuyard l'a mené jusqu'à la porte de son château ; les voici tous deux dans l'enceinte ; sans rencontrer âme qui vive dans les rues qu'ils ont empruntées, ils arrivent d'un même élan au beau milieu de l'entrée du palais.

95 *Là, la porte se referme sur Yvain le faisant prisonnier dans une salle richement décorée tandis que le chevalier, blessé à mort, lui échappe.*

9. Railleries, moqueries insultantes.
10. Keu a été élevé avec le roi Arthur. Ce personnage se caractérise par son ironie et ses propos méchants.

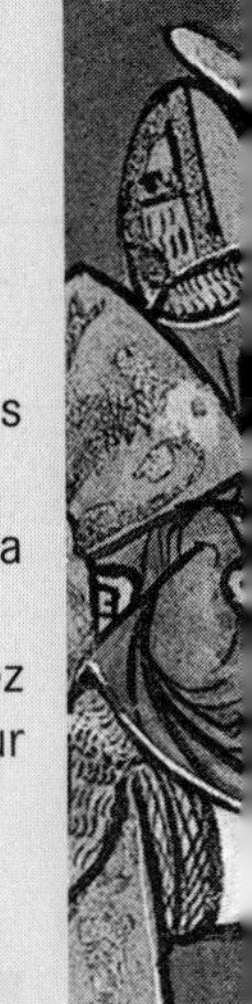

Questions

Repérer et analyser

La situation d'énonciation

1 À qui Yvain s'adresse-t-il au début de l'extrait (l. 6 à 10) ? Quels liens unissent les deux hommes ?

2 **a.** Par quel pronom personnel Yvain est-il désigné à partir de la ligne 29 ? Qui est alors le narrateur ?
b. Le narrateur est-il ou non un personnage de l'histoire ? Relevez une ou deux interventions de ce narrateur. Quel jugement émet-il sur le combat ? Excuse-t-il la fuite du chevalier ?

Le temps

3 Pendant combien de temps Calogrenant a-t-il caché son aventure ? Pour quelle raison (reportez-vous au hors texte et à l'extrait 1, p. 12) ?

Le mode de narration

L'enchaînement des actions

4 Les connecteurs

Les connecteurs sont des mots de liaison, c'est-à-dire des mots placés entre deux propositions ou deux phrases, qui marquent une succession d'événements (connecteurs temporels) ou une étape dans le raisonnement (connecteurs logiques). Exemple : *or*, *car*, *puis*, *ensuite*…

De la ligne 29 à la ligne 67, relevez les connecteurs temporels et les autres expressions qui soulignent les étapes de l'aventure d'Yvain. Les actions se déroulent-elles avec rapidité ou avec lenteur ?

Les temps verbaux

5 **a.** Le récit, dans son ensemble, est écrit au passé, mais certains passages sont au présent de l'indicatif. Quels passages dans cet extrait sont au présent ?
b. Quelle est la valeur de ce présent ? Quel est l'effet produit par l'emploi du présent ?

Le parcours du chevalier

La quête du chevalier

Comme tout chevalier, Yvain entreprend une quête longue, marquée par de nombreuses aventures ou épreuves. Il pourra ainsi éprouver sa vaillance et devenir plus fort sur le plan physique comme sur le plan moral. Pour suivre l'itinéraire du personnage et mesurer son évolution, on peut s'appuyer sur ce que l'on appelle le *schéma actantiel* en apportant, à chaque étape et toutes les fois que cela est possible, les réponses aux questions suivantes :
- que recherche-t-il (objet de sa quête) ?
- qu'est-ce qui le pousse à agir (motivation) ?
- agit-il pour lui ou pour un autre (qui est le bénéficiaire) ?
- qui lui vient en aide (adjuvant) et qui s'oppose à lui (opposant) ?
- a-t-il réussi ou échoué (succès ou échec) ?

6 **a.** Commencez à établir le schéma actantiel pour le personnage d'Yvain : que cherche-t-il à faire ? Quelles sont ses motivations ? Pour qui agit-il ? Qui s'oppose à lui ? A-t-il réussi ou échoué ?
b. Ses motivations sont-elles celles d'un chevalier (voir l'extrait 1, p. 12) ? Justifiez votre réponse.

L'épreuve du combat

7 **a.** Qui sont les deux adversaires ? Pour quelle raison combattent-ils ?
b. Leur vaillance est-elle comparable ? Relevez des expressions qui justifient votre réponse. Qu'épargnent-ils dans leur lutte ?

8 **a.** Relevez dans le récit du combat le champ lexical de la violence.
b. Relevez quelques détails réalistes. Quel est l'effet produit ?

9 Une figure de style : la comparaison

La comparaison met en relation deux éléments, le comparé (élément que l'on compare) et le comparant (élément auquel on compare) pour en souligner le point commun. La comparaison est introduite par un outil de comparaison (*comme*, *ainsi*, *semblable à*…).

a. Analysez la comparaison développée dans les lignes 77 à 84 : identifiez les comparés et les comparants, puis l'outil de comparaison. Quel est l'élément commun entre les comparés et les comparants ?
b. À quoi cette scène de combat s'apparente-t-elle ?

10 Quel jugement le narrateur porte-t-il sur la bataille ? et sur le chevalier vaincu ? Citez le texte.

L'équipement du chevalier

Les romans de chevalerie présentent souvent des descriptions précises de l'équipement des chevaliers : tenue, armement défensif, armement offensif.

11 Quelles sont les différentes pièces de l'équipement du chevalier citées dans cet extrait (l. 39 à 67) ? Retrouvez-les dans l'illustration, p. 30. Quel était l'usage de ces différentes pièces ?

Étudier la langue

La langue du Moyen Âge

La langue du Moyen Âge connaît une déclinaison comme le latin. Des six cas latins, l'ancien français n'en garde que deux : le cas sujet et le cas régime (cas du complément d'objet) qui correspondent respectivement au nominatif et à l'accusatif latins. Ainsi les mots « sire » et « seigneur » sont un seul et même mot :

Cas sujet	Cas régime
mes sire	*mon seignor*

12 **a.** Que signifie l'expression « mon seigneur » dans le texte de Chrétien de Troyes ?
b. À qui applique-t-on le terme de « monseigneur » en français moderne ?

Écrire

Exercice d'écriture

13 Rédigez en quelques lignes une scène de combat entre deux chevaliers.
Vous commencerez par : « Ils se lancèrent l'un contre l'autre… »
Vous utiliserez le champ lexical de la violence et les expressions suivantes : *se ruer à la poursuite de*, *s'enfuir à bride abattue*, *donner de l'éperon*.

Enquêter

Le cheval

Dans le récit du combat, le narrateur précise que les deux chevaliers « agirent en vrais preux en se gardant bien de blesser ni d'estropier leurs montures… » (l. 62-63). En effet, le cheval est indispensable au chevalier et ce dernier prend toujours grand soin de sa monture. Dans les chansons de geste, on donne même un nom aux chevaux : Tencedor est le cheval de Charlemagne, Veillantif celui de Roland.

14 À l'époque médiévale, le cheval est désigné par un nom spécifique selon sa fonction. Que signifient exactement les mots : « un destrier », « un palefroi », « un roncin », « un sommier » ?

Comparer

Les combats célèbres

Dans « Le Mariage de Roland », Victor Hugo décrit le combat entre Roland et celui qui deviendra son plus fidèle ami, Olivier. Le poète s'inspire, ainsi que le montre cet extrait, des grands combats de la littérature médiévale.

Ils luttent de si près, avec de sourds murmures,
Que leur souffle âpre et chaud s'empreint sur leurs armures ;
Le pied presse le pied ; l'île à leurs noirs assauts
Tressaille au loin ; l'acier mord le fer ; des morceaux
De heaume et de haubert, sans que pas un s'émeuve,
Sautent à chaque instant dans l'herbe et dans le fleuve.
Leurs brassards sont rayés de longs filets de sang
Qui coule de leur crâne et dans leurs yeux descend […]

La Légende des siècles, vers 39 à 46.

15 Comparez cet extrait de poème au texte de Chrétien de Troyes (lexique utilisé, détails réalistes, temps verbaux) puis recherchez ce poème de Victor Hugo et lisez-le en classe.

Extrait 4

« Les noces furent célébrées... »

Il était toujours en plein désarroi[1] quand il entendit s'ouvrir la porte d'une chambrette voisine ; une demoiselle en sortit, d'allure gracieuse et belle de visage ; elle ferma la porte derrière elle. Quand elle aperçut mon seigneur Yvain, elle commença
5 par lui inspirer de vives alarmes[2] :

« En vérité, fait-elle, chevalier, je crains que vous soyez bien mal venu : si l'on vous capture en ces lieux, vous y serez taillé en pièces, car mon seigneur est blessé à mort et je sais bien que c'est vous qui l'avez tué. Ma dame en montre un si grand deuil[3]
10 et ses gens autour d'elle poussent des cris si déchirants qu'ils sont bien près de se tuer sous l'effet du chagrin ; ils savent bien pourtant que vous êtes ici, mais leur affliction[4] à tous est si grande qu'ils sont, pour l'instant, incapables de songer à votre présence malgré leur détermination de vous capturer mort ou
15 vif, mais ils ne peuvent y manquer dès qu'ils résoudront de vous attaquer. »

Mon seigneur Yvain lui répond alors : « Jamais, s'il plaît à Dieu, ils ne me tueront, et jamais je ne serai leur prisonnier !

– Non, fait-elle, car je mettrai en œuvre, avec votre concours,
20 tout ce qui est en mon pouvoir. Qui a grand-peur n'est pas un preux, or je vous crois vaillant à vous voir si peu effrayé. Et soyez-en sûr, si j'en avais l'occasion, je vous offrirais mon service et vous ferais honneur, car vous m'avez vous-même jadis obligée[5]. Un jour, à la cour du roi, ma dame m'envoya
25 en messagère ; peut-être n'eus-je pas la sagesse, la courtoisie

1. Très troublé, angoissé.
2. Vives inquiétudes.
3. Douleur.
4. Douleur, tristesse.
5. Vous m'avez rendu service.

ni le maintien que l'on pouvait attendre d'une jeune fille, mais il ne s'y trouva nul chevalier qui daignât m'adresser le moindre mot, excepté vous seul que voici ; il n'y eut que vous, soyez-en grandement remercié, pour m'honorer et me servir en cette cour ; la considération que vous m'avez alors montrée va recevoir sa récompense. Je sais bien comment on vous nomme et je vous ai parfaitement reconnu : vous êtes fils du roi Urien et vous vous nommez mon seigneur Yvain. Soyez donc absolument sûr que jamais, si vous voulez vous fier à moi, vous ne serez ni capturé ni mis à mal : vous allez prendre mon petit anneau que voici et me le rendrez, s'il vous plaît, quand je vous aurai délivré. »

Elle lui donne alors l'anneau : il a, dit-elle, la même vertu que l'écorce qui recouvre l'aubier[6] si parfaitement qu'il est invisible ; mais il faut prendre garde, en le passant au doigt, que la pierre soit cachée dans le poing fermé ; alors il n'a plus rien à craindre, celui qui porte cet anneau : même les yeux écarquillés, on ne saurait l'apercevoir, non plus que le fût si bien recouvert par l'écorce qu'on n'en devine rien. Voilà ce qu'elle enjoint à mon seigneur Yvain.

Dès qu'elle eut achevé, elle le mena s'asseoir sur un lit recouvert d'une couette si riche que jamais le duc d'Autriche n'en eut de telle ; elle lui proposa de lui apporter à manger ; il répondit qu'il acceptait très volontiers. La demoiselle court bien vite dans sa chambre et revient sans tarder, apportant un chapon[7] rôti et un gâteau sur une nappe avec un plein pot de vin d'un excellent cru surmonté d'un brillant hanap[8]. Tel est le repas que lui a offert celle qui le sert de tout cœur ; et notre héros, qui en avait bien besoin, mangea et but sans se faire prier.

6. Partie tendre qui se forme chaque année entre le bois dur et l'écorce d'un arbre.
7. Coq castré et engraissé.
8. Vase à boire en métal, souvent à pied et couvercle.

À la fin de sa collation se répandirent par le château les chevaliers qui le cherchaient, animés du désir de venger leur seigneur, déjà déposé sur la civière. La demoiselle lui dit alors :

« Ami, écoutez : ils sont déjà tous à votre recherche ; que de 60 vacarme ! que de bruit ! Mais sans vous inquiéter des allées et venues, demeurez immobile en dépit du tapage, car vous ne serez pas découvert si vous ne bougez de ce lit ; bientôt vous verrez cette salle emplie d'une foule haineuse et mauvaise qui s'imaginera vous y trouver ; je crois bien qu'ils apporte- 65 ront le corps ici pour aller l'enterrer ensuite. Ils vont se mettre à vous chercher et sous les bancs et sous les lits. Ce serait un spectacle bien plaisant, pour qui n'aurait rien à craindre, que de voir ces gens qui n'y verront goutte ; car ils seront tous si aveuglés, si déconfits et si abusés qu'ils enrageront de colère 70 tous autant qu'ils sont. Je ne puis pour l'instant vous en dire plus et je n'ose m'attarder davantage. Mais qu'il me soit permis de rendre grâce à Dieu qui m'a donné l'occasion et le loisir d'accomplir une action qui vous soit agréable, car j'en avais le plus profond désir. »

75 *Invisible grâce à l'anneau magique, Yvain assiste aux recherches faites par les chevaliers du château pour le retrouver. Il aperçoit même la dame des lieux qui pleure son époux et tombe immédiatement amoureux d'elle.*

Mais la demoiselle revient, voulant lui tenir compagnie, le 80 récréer, le divertir, lui procurer et lui apporter à discrétion tout ce qu'il pourra demander. Elle trouve le chevalier abîmé dans ses pensées sous l'effet de l'amour qui en lui s'est logé. Aussi lui lance-t-elle :

« Mon seigneur Yvain, quel à été votre sort depuis mon 85 départ ?

– Un sort qui m'a comblé.

– Comblé ? Par Dieu, dites-vous vrai ? Comment peut-il avoir un sort heureux, celui qui sait qu'on le recherche pour le tuer ? C'est qu'il aime sa propre mort et la désire.

90 – En vérité, fait-il, ma chère amie, je n'ai nulle envie de mourir, et, Dieu m'en soit témoin, ce que je vis m'a plu infiniment, me plaît encore et me plaira toujours.

– Brisons là sur ce chapitre, répond la demoiselle, qui comprend fort bien à quoi tendent ces paroles, je ne suis pas 95 assez niaise ni assez sotte pour ne pas entendre ce que parler veut dire ; mais suivez-moi donc, car je vais sans délai me mettre en peine de vous faire évader. Je saurai parfaitement vous tirer d'affaire, si vous y tenez, ce soir ou demain ; venez donc, je vous emmène. »

100 Mais il réplique :

« Soyez-en sûre, je ne sortirai d'ici de longtemps, si ce doit être en cachette comme un voleur. Quand les gens du château seront tous réunis dans ces rues, là-dehors, je sortirai alors avec plus d'honneur que je ne pourrais le faire de nuit. »

105 À ces mots, il entre à sa suite dans la petite chambrette. La malicieuse demoiselle consacra tous ses soins à le servir, et lui fit généreusement crédit de tout ce qui lui était nécessaire. Puis, au moment voulu, elle se rappela les paroles du prisonnier, le vif plaisir que, disait-il, lui avait donné ce qu'il avait 110 vu lorsque le cherchait par toute la salle la troupe de ses ennemis mortels.

La demoiselle était si bien vue de sa dame qu'elle ne craignait de rien lui confier, le sujet fût-il d'importance, car elle était sa gouvernante et sa suivante. Et pourquoi donc eût-115 elle redouté de consoler sa dame et de la conseiller selon ses intérêts ? La première fois, elle lui dit sans témoin :

« Madame, grande est ma surprise devant une aussi folle conduite ! Croyez-vous donc recouvrer votre époux en vous lamentant de la sorte ?

120 – Hélas non, répond-elle, mais s'il ne tenait qu'à moi, je serais morte de chagrin.

– Pourquoi ?

– Pour le rejoindre.

– Le rejoindre ? Dieu vous en garde ! Puisse-t-il vous rendre 125 un aussi bon époux, comme il en a le pouvoir.

– Jamais tu n'as dit semblable mensonge : il ne pourrait m'en rendre un aussi bon.

– Un meilleur encore, si vous l'acceptez, je vous le prouverai.

– Va-t-en, tais-toi ! Jamais je n'en trouverai de tel !

Laudine, miniature (XIIIe siècle).

130 – Si fait, dame, si vous y consentez. Mais, dites-moi, sans vous fâcher : votre terre, qui la défendra quand le roi Arthur y viendra ? Car il doit venir la semaine prochaine au perron et à la fontaine. N'en avez-vous pas été informée par la Demoiselle Sauvage qui vous envoya une lettre à ce sujet ? Ah !
135 comme elle a bien employé son temps ! Vous devriez, en ce moment, prendre le parti de défendre votre fontaine et vous ne cessez de pleurer ! Il vous faudrait pourtant ne pas atermoyer, si vous vous décidiez, ma dame bien-aimée, car en vérité, à eux tous il ne valent pas une chambrière[9], vous le
140 savez fort bien, les chevaliers que vous avez ; même celui qui s'estime le plus vaillant ne prendra ni lance ni écu ! Des pleutres, vous en regorgez, mais il n'y en aura pas un d'assez hardi pour oser enfourcher une monture. Et le roi vient avec une si grande armée qu'il s'emparera de tout sans rencontrer de résistance. »
145 La dame se rend bien compte, au fond d'elle-même, que sa suivante la conseille en toute loyauté, mais elle a en elle une folie qui est l'apanage des femmes, toutes ou presque en sont atteintes : tout en reconnaissant leur fol entêtement, elles refusent de céder à leur désir.
150 « Va-t-en, fait-elle, laisse-moi en paix ! Que je t'en entende reparler désormais et mal t'en prendra si tu ne t'enfuis : ton bavardage m'exaspère !

– À la bonne heure, ma dame, reprend la demoiselle, on voit bien que vous êtes une femme, car femme se courrouce lors-
155 qu'elle entend qu'on lui donne un sage conseil. »

Alors, elle se retire et la laisse seule. Et la dame se rendit compte qu'elle avait eu grand tort : elle aurait bien voulu savoir comment sa suivante pourrait prouver qu'il se trouvât un chevalier meilleur que ne fut jamais son époux ; elle ne serait
160 pas fâchée de l'apprendre de sa bouche, mais elle s'y est

9. Femme de chambre.

opposée. En ce penser, elle attend le retour de la demoiselle qui, sans respecter aucune défense, reprend incontinent :

« Ah ! dame ! est-il donc admissible de vous faire ainsi mourir de chagrin ? Pour Dieu, renoncez-y, laissez là ces pensées, au
165 moins par dignité : à si haute dame ne sied pas[10] si long deuil. Souvenez-vous de votre rang et de votre grande noblesse. Croyez-vous que toute prouesse[11] soit morte avec votre époux ? Il en reste de par le monde d'aussi vaillants ou de meilleurs !

– Si tu ne mens, Dieu me confonde ! Et pourtant, nomme-
170 m'en un seul qui soit réputé aussi brave que le fut mon époux pendant toute sa vie.

– Mais vous m'en sauriez mauvais gré, le courroux vous reprendrait, les menaces reviendraient.

– Je n'en ferai rien, je t'en donne l'assurance.

175 – Eh bien, que ce soit pour votre bonheur à venir, si vous décidiez d'être heureuse encore. Je ne vois rien qui me force à me taire, puisqu'il n'est personne pour nous entendre. Vous me tiendrez sans doute pour impertinente, mais je puis bien dire ceci, me semble-t-il : deux chevaliers se sont mesurés en
180 combat singulier, lequel croyez-vous qui mieux vaille, quand l'un des deux a vaincu l'autre ? Pour moi, je donne le prix au vainqueur. Et vous ?

– J'ai l'impression que tu me tends un piège, tu veux me prendre au mot.

185 – Par ma foi, il vous est facile de voir que je suis dans le vrai, et je vous prouve irréfutablement[12] que le vainqueur de votre époux lui était supérieur : il l'a défait et de plus, pourchassé hardiment jusqu'ici, et l'a même enfermé dans sa propre demeure.

– Je viens d'entendre la plus grande extravagance qui jamais
190 fut dite. Arrière, toi qu'habite l'esprit du mal, ne reviens jamais devant moi pour me dire un seul mot de lui. […] »

10. Ne convient pas. | 11. Exploit, action héroïque. | 12. De façon indiscutable.

Cependant, la dame songe toute la nuit à ce que lui a dit la demoiselle et, le lendemain matin, décide d'écouter ses sages paroles…

195 La dame tenait la tête baissée, se sentant coupable de l'avoir malmenée ; mais à présent, elle a bien l'intention de lui faire réparation et de lui demander le nom, la condition et le lignage du chevalier ; ayant la sagesse de s'humilier, elle dit :

« Je veux vous demander pardon des propos outrageants 200 et blessants que je vous ai dits comme une insensée ; je resterai à votre école. Dites-moi plutôt, si vous le savez, ce chevalier dont vous m'avez si longuement entretenue, quel est-il, et de quelle famille ? S'il est d'un rang digne du mien, et pourvu qu'il n'y mette obstacle, je le ferai, je vous l'assure, seigneur de ma 205 terre et de ma personne. Mais il faudra agir de sorte qu'on ne puisse jaser à mon sujet et dire : c'est celle qui a épousé le meurtrier de son mari.

– Au nom de Dieu, ma dame, il en sera ainsi. Vous aurez l'époux le plus noble, le plus gracieux et le plus beau qui jamais 210 soit sorti du lignage d'Abel.

– Quel est son nom ?

– Mon seigneur Yvain.

– Par ma foi, il n'a rien d'un vilain, il est, je le sais bien, d'une haute noblesse : c'est le fils du roi Urien.

215 – Par ma foi, ma dame, vous dites vrai.

– Et quand pourrons-nous l'avoir ?

– D'ici cinq jours.

– Ce serait trop tarder ; s'il ne tenait qu'à moi, il serait déjà là. Qu'il vienne dès ce soir, ou demain au plus tard.

220 – Ma dame, je ne crois pas que même un oiseau puisse en un jour tant voler. Mais j'enverrai auprès de lui un de mes valets, un courrier rapide, qui sera, je l'espère, à la cour du roi Arthur d'ici demain soir au plus tard. On ne pourra le joindre avant.

– Ce terme est bien trop éloigné : les jours sont longs. Dites-lui plutôt d'être de retour ici demain soir, et d'aller plus vite que de coutume, car s'il veut s'en donner la peine, de deux journées, il en fera une ; d'ailleurs, cette nuit, la lune luira ; qu'il fasse de la nuit un second jour, et je lui donnerai à son retour tout ce qu'il voudra.

– Laissez-moi donc le soin de cette affaire ; vous l'aurez auprès de vous d'ici trois jours tout au plus. Dès demain, vous convoquerez vos gens et leur demanderez conseil à propos de la venue du roi. Afin de maintenir la coutume, il faudra prendre des mesures salutaires pour défendre votre fontaine, et il n'y en aura pas un, aussi téméraire soit-il, qui ose se vanter de remplir cet office. Alors, vous pourrez déclarer à bon droit qu'il vous est nécessaire de prendre un époux. Un chevalier de grand renom demande votre main, mais vous craignez de l'accepter s'ils n'approuvent tous votre choix et ne vous assurent de leur consentement. Je les sais si poltrons que, pour charger autrui du faix[13] dont ils seraient tous accablés, ils viendront en cohue se jeter à vos pieds, et ils vous rendront mille grâces, délivrés qu'il seront d'une frayeur extrême. Qui a peur de son ombre a bien soin d'esquiver les rencontres à la lance ou au javelot, car ce sont là mauvais jeux pour un couard.

– Par ma foi, répond la dame, je le veux, j'y consens. J'avais déjà songé au plan que vous venez de m'exposer, et nous allons le suivre point par point. Mais pourquoi restez-vous ici ? Allez ! Ne tardez pas davantage ! Faites tout pour l'amener ; quant à moi, je vais convoquer mes gens. »

Ainsi s'achève l'entretien.

Pendant ce temps, la dame se charge de convaincre ses chevaliers de la nécessité de se remarier pour préserver la coutume de la fontaine.

13. Fardeau.

255 *De son côté, la demoiselle pare Yvain et le conduit à sa dame. Celle-ci le présente à ses chevaliers.*

« Seigneurs, dit-elle, puisque c'est là votre désir, ce chevalier qui est assis auprès de moi m'a vivement sollicitée et recher-
260 chée ; il veut être mon homme lige[14] et se vouer à mon service et je lui en rends grâce ; vous, de votre côté, rendez-lui grâce également. Certes, je ne le connaissais pas avant ce jour, mais bien souvent j'ai entendu parler de lui, car c'est le fils du roi Urien. Outre qu'il est de haut parage[15], sa vaillance est grande,
265 et il a tant de courtoisie et de sagesse qu'on ne doit point me détourner de lui. Le nom de mon seigneur Yvain n'est inconnu, je pense, à aucun d'entre vous, c'est lui-même qui demande ma main. C'est un époux bien trop noble pour moi que j'aurai le jour du mariage. »
270 Et tous de s'écrier :

« Jamais ce jour ne passera, si vous agissez sagement, sans que vous ne l'ayez conclu : bien fou qui tarde une seule heure à réaliser son profit. »

Ils la prient tant qu'elle consent à faire ce qu'elle eût fait de
275 toute façon, car c'est Amour qui lui ordonne d'accomplir ce dont elle requiert[16] l'approbation ; mais elle prend un mari avec bien plus d'honneur, puisqu'elle a le consentement de ses gens ; leurs prières, loin de l'importuner, l'engagent et l'incitent à suivre l'inclination de son cœur. Le fringant[17] cheval
280 court plus vite encore quand on l'éperonne ; en présence de tous ses barons, la dame se donne à mon seigneur Yvain. De la main d'un chapelain du château, il a reçu dame Laudine de Landuc, la fille du duc Laududet, dont on chante un lai ; le jour même, sans retard, les noces furent célébrées. On y vit

14. Vassal lié à son seigneur par un hommage plus étroit que l'hommage habituel.
15. Haute naissance.
16. Réclame, demande.
17. Vif et de fière allure.

285 abonder mitres[18] et crosses[19], car la dame y avait mandé les évêques et les abbés. Grande fut l'affluence des seigneurs de haute noblesse, grandes furent la joie et l'allégresse, plus que je ne pourrais vous le conter, même après y avoir consacré bien du temps, et j'aime mieux m'en taire que d'en dire davantage.

290 Désormais, mon seigneur Yvain est seigneur et maître.

***Le mariage*, miniature (XIVe siècle).**

18. Haute coiffure de cérémonie portée par les prélats (évêques).
19. Bâton pastoral d'évêque ou d'abbé dont la partie supérieure se recourbe en volute.

Questions

Repérer et analyser

La situation d'énonciation

1 Relevez les passages dialogués. Sont-ils nombreux ? Qui sont, à chaque fois, les interlocuteurs en présence ?

2 **a.** Relevez les interventions du narrateur (l. 274 à 290). Quel pronom personnel indique sa présence ?
b. Quelle explication donne-t-il à la conduite de Laudine ? Pourquoi préfère-t-il se taire à la fin de l'extrait ?

Le cadre spatio-temporel

3 Dans quel lieu se retrouve Yvain ? Au début de l'extrait, cet endroit lui est-il favorable ou défavorable ? et à la fin ?

4 Combien de temps faut-il approximativement pour que le mariage d'Yvain soit conclu ? Appuyez-vous sur des indices du texte.

5 Relevez dans les paroles de la dame (l. 208 à 229) une phrase indiquant que la scène se passe à la belle saison.

Le parcours du chevalier

La quête du chevalier Yvain

6 Quelle est la nouvelle quête d'Yvain ? Que cherche-t-il à obtenir à partir de cet extrait ? Quels obstacles rencontre-t-il ?

7 **a.** Qui lui vient en aide ? Pour quelle raison ?
b. Quel objet magique ce personnage prête-t-il à Yvain ? Quels sont les pouvoirs de cet objet ? Citez précisément le texte.

8 Pour quelle raison Yvain refuse-t-il de sortir « en cachette » (l. 102) ? À quel code obéit-il ici ?

9 Quelles sont les conquêtes d'Yvain à la fin de l'épisode ? Citez la phrase qui, à la fin de l'extrait, résume sa nouvelle situation.

Le statut de la dame

Selon le système féodal, la dame qui gouverne un fief doit consulter ses vassaux pour se marier ou se remarier. Le remariage de Laudine est une nécessité, car elle doit trouver un chevalier assez courageux pour remplacer son mari mort et défendre la fontaine.

10 À quel moment apprend-on le nom de la dame ? Sa famille est-elle renommée ? Quels sont les indices qui le soulignent ?

11 **a.** Quelle est la première réaction de la dame quand la demoiselle lui parle d'abord de remariage puis d'Yvain ? Comment expliquez-vous cette réaction ?
b. Sur quel ton la dame répond-elle à la demoiselle ? Relevez le champ lexical qui l'indique.
c. Relevez les expressions qui marquent ensuite sa hâte de voir Yvain (l. 216 à 250). En quoi son comportement s'avère-t-il contradictoire ?
d. Quels sentiments provoquent ensuite le revirement de la dame (l. 195 à 207) ?
12 Comment expliquez-vous que la dame tombe amoureuse d'Yvain alors qu'elle ne l'a jamais vu ?
13 Pourquoi se fait-elle prier par ses chevaliers pour l'épouser ?

Le mode de narration

L'argumentation

14 Quelle relation la demoiselle entretient-elle avec la dame ?
15 **a.** Pourquoi veut-elle convaincre sa dame d'épouser Yvain ? Est-ce par simple amitié pour le chevalier ?
b. Quels procédés emploie-t-elle au début pour faire entendre raison à sa maîtresse (types de phrases, modes des verbes…) ?
c. Quels arguments la demoiselle utilise-t-elle d'abord pour amener la dame à songer à Yvain ? ensuite pour la convaincre de l'épouser ?
d. Quel est le premier devoir de la dame envers ses vassaux ?
16 **a.** Pourquoi ne lui avoue-t-elle pas qu'Yvain est caché au château ?
b. De quelles qualités fait-elle preuve ? Quel rôle joue-t-elle dans la progression de l'action ?
17 Quels arguments la dame donne-t-elle à ses chevaliers en faveur de son mariage avec Yvain ? Réussit-elle à les convaincre ? Pourquoi ?

Étudier la langue

La langue du Moyen Âge

18 Une figure de style : l'allégorie

L'allégorie est une figure de style consistant à personnifier un sentiment (la joie…), une abstraction (la mort…). Les écrivains du Moyen Âge utilisent souvent des allégories.

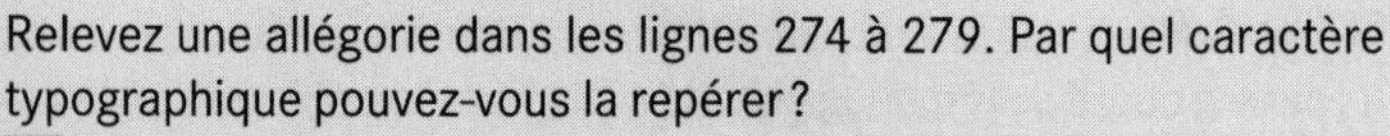

Relevez une allégorie dans les lignes 274 à 279. Par quel caractère typographique pouvez-vous la repérer ?

19 « La fille du duc Laududet, dont on chante un lai » (l. 283). Qu'est-ce qu'un « lai » ?

20 Dame et demoiselle : cherchez l'étymologie de ces deux substantifs. Quel est le sens de ces deux mots au XIIe siècle ? Quel est leur sens en français moderne ?

Écrire

Écrire une description comportant un dialogue

21 Imaginez la rencontre de la dame et d'Yvain, et la demande en mariage. Décrivez d'abord la pièce du château où aura lieu cette rencontre, puis imaginez le dialogue entre les deux personnages. Vous n'oublierez pas que la dame n'a jamais vu Yvain et qu'il est le meurtrier de son époux, alors qu'Yvain, lui, a déjà vu la dame et est immédiatement tombé amoureux d'elle.

Écrire un récit ayant pour cadre le Moyen Âge

22 Au cours de la visite d'un château, vous apercevez une bague sur le sol. Vous la ramassez et la passez à votre doigt : soudain, tout en demeurant dans la même salle, vous voilà transporté(e) au Moyen Âge… Racontez. Vous réinvestirez le lexique du Moyen Âge.

Enquêter

L'anneau magique

L'anneau est un objet magique fréquent dans les légendes et la littérature médiévales.

23 Faites une recherche sur l'anneau de Gygès. Recherchez dans les romans du Moyen Âge ou dans les contes de fées d'autres objets qui aient des propriétés magiques.

Extrait 5

« L'arrivée du roi »

La veille de la Saint-Jean, moins d'une quinzaine après la Pentecôte, le roi Arthur et ses chevaliers arrivent à la fontaine. Le roi provoque la tempête en versant de l'eau sur le perron de la fontaine. Yvain, désormais protecteur de cette fontaine, surgit alors pour la défendre. Keu, le sénéchal (intendant) du roi Arthur, a sollicité la faveur d'affronter « le chevalier de la fontaine » sans savoir qu'il s'agit d'Yvain. Keu est battu par Yvain qui révèle son nom au roi et l'invite dans son château.

Quand la dame apprend l'arrivée du roi, elle en a le cœur plein de joie. Il n'est personne qui, au bruit de la nouvelle, ne se réjouisse et reste insensible. La dame les engage vivement à se porter tous au devant du roi : aucun d'eux n'y rechigne[1], aucun d'eux n'en maugrée[2] empressés qu'ils étaient d'accomplir son vouloir. À la rencontre du roi de Bretagne, ils s'avancent tous sur de grands chevaux d'Espagne, et ils saluent d'une immense ovation le roi Arthur d'abord, puis toute son escorte :

« Bienvenue, s'écrient-ils, à cette troupe si riche en preux chevaliers. Béni celui qui les conduit, et nous donne des hôtes aussi valeureux. »

En l'honneur du roi, le château retentit de la joie qu'on y mène. On sort les étoffes de soie pour les tendre en manière d'ornement, et des tapis on fait un pavement, en les étendant par les rues afin d'honorer le roi qu'on attend. Autre préparatif encore : pour le protéger du soleil, on déploie

1. Témoigne de la mauvaise volonté.
2. Manifeste du mécontentement, proteste à mi-voix.

des courtines[3] au-dessus des rues. Cloches, cors et buccins[4] font résonner le château avec tant de force que l'on n'entendrait pas Dieu tonner. Pour célébrer son arrivée dansent les jeunes filles, au son des flûtes et des vielles[5], des timbres, des fretels[6] et des tambours ; tout près de là, les légers acrobates exécutent leurs cabrioles ; tous rivalisent de gaîté, et c'est au milieu de cette allégresse qu'ils offrent à leur maître l'accueil qu'ils lui doivent.

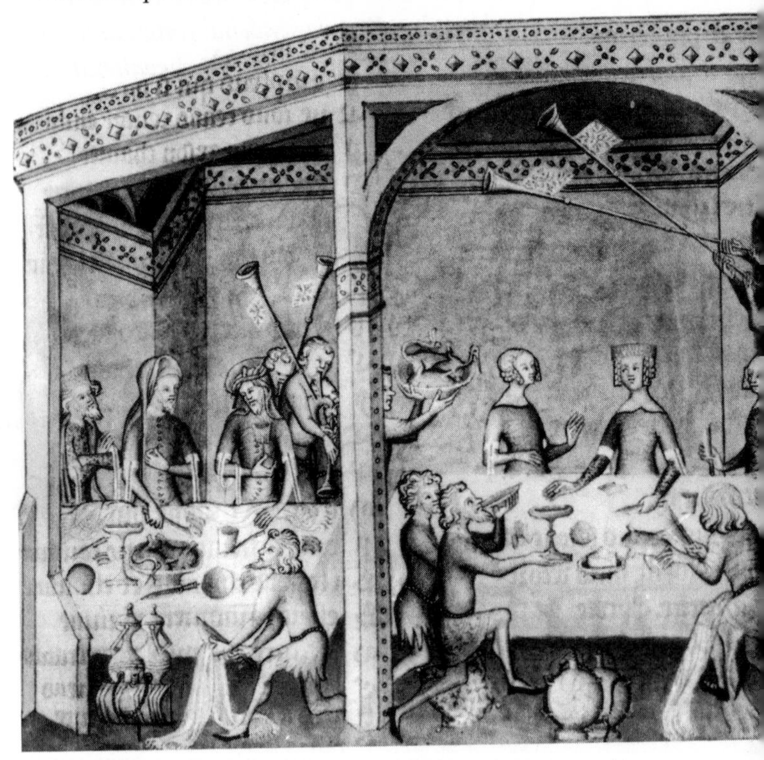

3. Tentures.
4. Trompettes.
5. Instruments dont les cordes sont frottées par un archet ou une roue.
6. Instruments à vent.

Mais voici que paraît la dame, vêtue d'une robe impériale
35 bordée d'hermine[7] toute fraîche, avec au front un diadème
entièrement serti de rubis ; loin d'avoir la mine chagrine[8],
elle arborait un si joyeux sourire qu'elle était, sans mentir, plus
belle que nulle déesse. À l'entour se pressait la foule et tous
clamaient l'un après l'autre :

40 « Bienvenu soit le roi, le seigneur des rois et des seigneurs de
ce monde ! »

Incapable de rendre à chacun son salut, le roi voit s'avancer
vers lui la dame qui veut lui tenir l'étrier, mais, soucieux de
prévenir son geste, il saute à bas de son cheval dès l'instant
45 qu'il la voit ; ayant mis pied à terre, il est salué par la dame
en ces termes :

« Que cent mille fois bienvenu soit le roi mon seigneur et
béni soit mon seigneur Gauvain, son neveu.

– Et que votre personne tout entière, répond le roi, ô belle
50 créature, connaisse la joie et un bonheur sans mélange. »

Puis le roi, en vrai gentilhomme, l'embrassa en la prenant
par la taille et elle de même, à pleins bras.

*Arthur et sa cour séjournent une semaine chez Yvain et son
épouse Laudine.*

55 Quand le roi eut tant séjourné qu'il ne voulut s'attarder
davantage, il fit préparer son départ. Mais au cours de cette
semaine, aucun de ses compagnons n'avait ménagé ni ses
prières ni sa peine pour obtenir de mon seigneur Yvain qu'il
les accompagnât.

60 « Comment ! Serez-vous maintenant de ceux, lui disait mon
seigneur Gauvain, qui valent moins à cause de leur femme ?

7. Fourrure de l'hermine, petit mammifère carnivore proche de la belette.
8. Mine triste, affligée.

Honni soit par Sainte Marie celui qui pour déchoir se marie. Qui a pour amie ou pour femme une dame de grande beauté doit y gagner en valeur, car il est juste qu'elle cesse de l'aimer, 65 dès lors que son renom et sa gloire déclinent. À coup sûr, son amour vous causera un jour bien du dépit, si vous vous mettez à déchoir. Une femme a bien vite repris son amour, et elle n'a pas tort de mépriser celui qui devient pire à cause d'elle, dès qu'il est maître du royaume. Plus que jamais votre renom doit 70 croître. Rompez le frein et le chevêtre, nous irons courir les tournois vous et moi, afin que l'on ne vous appelle point jaloux. Vous ne devez pas rêvasser, mais hanter les tournois et vous y engager, et tout abandonner, coûte que coûte. Grand rêvasseur qui ne sort de chez soi ! Aucun doute, il vous faut venir, 75 vous n'aurez aucune autre échappatoire. Veillez, cher compagnon, qu'en vous ne disparaisse notre fraternité, car ce n'est pas moi qui y mettrai fin. N'est-il pas étonnant qu'on estime un plaisir qui toujours se prolonge ! Un bonheur retardé gagne en saveur et plaisir léger, remis à plus tard, est plus doux à 80 goûter qu'une félicité savourée sans répit. La joie d'amour qui tarde ressemble à la bûche verte qui brûle et rend une chaleur d'autant plus grande et plus durable qu'elle est plus lente à s'allumer. On peut prendre telle habitude dont on se défait à grand-peine : quand on le veut, il est trop tard. Je ne dis pas, 85 mon cher et doux ami, si j'avais une aussi belle amie que la vôtre, par la foi que je dois à Dieu et à tous les saints, avec quel chagrin je la quitterais ! Je crois que je serais fou d'elle. Tel donne à autrui d'excellents conseils, qui ne saurait se conseiller soi-même, tout comme les prêcheurs qui, masquant 90 leurs débauches, consacrent au bien d'édifiants sermons, sans nulle intention de la pratiquer ! »

Mon seigneur Gauvain lui tint si souvent ce langage et si souvent lui fit cette requête que son compagnon lui promit d'en faire part à son épouse ; il s'en irait s'il pouvait obtenir

95 d'elle son congé ; que ce soit folie ou sagesse, il n'omettra[9] rien pour qu'on l'autorise à s'en retourner en Bretagne. Prenant à part la dame qui ne se doute de rien, il lui dit :

« Ma très chère dame, vous qui êtes mon cœur et mon âme, mon bonheur, ma joie et mon salut, accordez-moi un don,
100 pour votre honneur et pour le mien. »

La dame sur-le-champ le lui accorde, ignorant l'objet de cette requête.

« Cher seigneur, lui dit-elle, vous pouvez me commander ce que bon vous semblera. »

105 Aussitôt mon seigneur Yvain lui demande la permission d'accompagner le roi et d'aller combattre dans les tournois, afin qu'on ne l'appelle pleutre[10].

« Je vous accorde ce congé, lui répond-elle, pour un temps seulement. Mais mon amour pour vous deviendra haine, soyez-
110 en convaincu, si vous dépassiez le délai que je vais vous fixer ; sachez que je tiendrai parole : si vous, vous mentez, je dirai, moi, la vérité. Si vous voulez conserver mon amour, et si vous me chérissez quelque peu, songez à revenir bien vite, dans un an au plus tard, huit jours après la Saint-Jean, dont c'est
115 aujourd'hui l'octave[11]. Vous perdrez mon amour à jamais si ce jour-là vous n'êtes de retour ici auprès de moi. »

Mon seigneur Yvain verse tant de larmes et soupire si fort qu'il a grand-peine à dire :

« Ma dame, ce terme est bien éloigné. Si je pouvais être
120 pigeon chaque fois que je le voudrais, je serais bien souvent auprès de vous. Et je prie Dieu que, si telle est sa volonté, il m'interdise une aussi longue absence. Mais tel compte revenir vite qui ne connaît pas l'avenir. Et je ne sais ce qui m'arrivera : quelque empêchement peut me retenir, maladie ou captivité ;

9. Négligera, oubliera.
10. Lâche.
11. Le huitième jour après certaines fêtes religieuses, ici la Saint-Jean.

125 aussi êtes-vous bien injuste de n'excepter au moins la contrainte physique.

– Seigneur, dit-elle, je réserve ce cas ; et pourtant je vous certifie que, si Dieu vous préserve de la mort, nulle difficulté ne vous attend aussi longtemps que vous vous souviendrez de 130 moi. Mais passez-vous donc au doigt cet anneau : il m'appartient ; je vous le prête ; la vertu de sa pierre, je vais vous la révéler sans ambages[12] : sous sa protection, nul amant sincère et loyal n'est captif ni ne perd de sang, il ne peut lui arriver aucun mal ; mais qui le porte et le chérit garde le souvenir de 135 son amie et en devient plus dur que fer ; il vous tiendra lieu d'écu et de haubert ; et croyez-moi, jamais à un seul chevalier je n'ai voulu le prêter ni le donner : c'est par amour pour vous que je vous en fais don. »

Yvain quitte donc sa dame à regret et va de tournoi en 140 tournoi si bien qu'une année et demie s'écoule.

12. Sans cacher quoi que ce soit, sans détours.

Chevalier armé par sa dame et partant pour le tournoi, miniature (XIIIe siècle).

Questions

Repérer et analyser

La situation d'énonciation

1 Qui le pronom « on » désigne-t-il dans les lignes 21 à 28 et à la ligne 96 ?

Le cadre spatio-temporel

2 **a.** Dans quel lieu précis la scène se déroule-t-elle ?
b. Dans quelle région se situe le château de Laudine ? Reportez-vous à la carte page 9 et situez ce lieu sur la carte.
3 **a.** À quelle époque de l'année la scène se déroule-t-elle ? Appuyez-vous sur un indice précis du texte (l. 101 à 116).
b. Que fête-t-on à la Saint-Jean (l. 114) ?

La progression du récit

4 La visite du roi Arthur fait-elle avancer l'action ? Justifiez votre réponse.
5 **a.** Quelle phrase prononcée par Yvain (l. 119 à 126) laisse présager la suite ?
b. Qu'est-ce qui semble le plus important à ses yeux, à ce moment précis : son épouse ou sa condition de chevalier ? En quoi son comportement est-il contradictoire ?

Les personnages et leurs relations

La vie courtoise et l'hospitalité

Le XIIe siècle a le sens de l'hospitalité : tout visiteur est le bienvenu ; les exemples sont nombreux dans les romans de chevalerie.

6 **a.** Relevez les mots et expressions qui caractérisent l'accueil fait à Arthur.
b. Quels préparatifs et spectacles célèbrent son arrivée ?
7 Quelle atmosphère règne à l'intérieur du château ? Appuyez-vous sur un champ lexical.
8 Quel est le sens du mot « hôtes » (l. 19) ? Quel est son autre sens ?

Le portrait de la dame

9 **a.** Relevez les mots et expressions qui caractérisent les vêtements de Laudine. À qui est-elle comparée ? Quel est l'effet produit par ce portrait ?
b. Par quelle expression le roi désigne-t-il Laudine ?

Le roi Arthur

10 Le roi Arthur est qualifié de « vrai gentilhomme » (l. 51). Quelles sont les qualités du gentilhomme ? En quoi son comportement envers la dame est-il celui d'un gentilhomme ?

Le parcours du chevalier

Le don contraignant

Par le « *don contraignant* », Laudine se doit d'octroyer à Yvain ce qu'il demande avant de savoir ce dont il s'agit ; même si cette demande lui déplaît, ce qui est le cas ici, le personnage qui a octroyé ce don ne peut se dédire sous peine de perdre son honneur.

11 **a.** Pourquoi Laudine ne peut-elle refuser à Yvain ce qu'il demande ? En quoi Yvain s'est-il montré habile ?
b. Que demande Yvain à Laudine ? Quel argument essentiel à ses yeux donne-t-il pour justifier son désir ?
12 **a.** Pour quelles raisons Laudine souhaite-t-elle le retour d'Yvain ? Est-il seulement l'homme qu'elle aime ou joue-t-il un rôle plus important dans la communauté ?
b. À quelles exigences lui demande-t-elle de se plier ? Relevez les mots et expressions qui marquent la détermination de Laudine.

Les objets merveilleux (voir p. 18)

13 **a.** Quel don Laudine fait-elle à Yvain ? Pourquoi ?
b. Que symbolise cet objet aux yeux de Laudine ? Quels sont les pouvoirs de cet objet ?

Le mode de narration

L'argumentation

14 **a.** Quels arguments Gauvain oppose-t-il à Yvain pour convaincre ce dernier de le suivre dans les tournois (l. 60 à 91) ?

b. Par quels procédés appuie-t-il son argumentation (champ lexical, modes et temps des verbes, etc.) ?

Étudier la langue

La langue du Moyen Âge

15 **a.** « Cette troupe si riche en preux chevaliers » (l. 18-19) : donnez deux synonymes de l'adjectif « preux ». Trouvez ensuite un nom de la même famille.
b. « Des hôtes aussi valeureux » (l. 19-20) : quel est le sens de « valeureux » ?

Écrire

Écrire un récit ayant pour cadre le Moyen Âge

16 Yvain, de retour d'un tournoi, se laisse surprendre par la nuit ; au détour d'un chemin, il aperçoit un château vers lequel il se dirige pour demander l'hospitalité. Un vavasseur et sa famille l'accueillent. Racontez cet accueil.

Extrait 6

« C'était un fou... »

Revenu à la cour du roi Arthur au bout d'une année et demie, Yvain prend soudain conscience qu'il a manqué à sa promesse envers Laudine.

Il était encore dans ces pensées quand soudain parut une
5 demoiselle qui venait droit vers eux : elle arrivait au grand galop, montant un palefroi[1] noir à balzanes[2] ; devant leur pavillon elle mit pied à terre, mais nul ne l'aida à descendre, nul n'alla prendre son cheval. Sitôt qu'elle aperçut le roi, elle laissa tomber son manteau, pénétra dans le pavillon et se
10 présenta devant lui :

« Ma dame, dit-elle, salue le roi et mon seigneur Gauvain, et tous les autres, à l'exception d'Yvain, le menteur, le trompeur, le déloyal, le fourbe[3] qui l'a trompée et abusée ; elle a bien découvert sa perfidie : il se faisait passer pour un parfait
15 amant, mais il n'était qu'un traître, un imposteur et un voleur ; ce voleur a trompé ma dame qui, n'ayant l'expérience d'aucune bassesse, ne pouvait nullement s'imaginer qu'il dût lui dérober son cœur ; les vrais amants ne commettent pas de tels vols, et ceux-là seuls les traitent de voleurs qui sont aveugles
20 en amour et n'y entendent rien. L'ami vrai prend le cœur de son amie, non point pour le lui voler mais pour le garder en dépôt, et ceux qui dérobent les cœurs, les voleurs qui contrefont[4] les hommes de bien, ce sont eux les hypocrites larrons[5], les traîtres qui s'emploient à dérober des cœurs dont ils se
25 moquent ; mais l'ami, où qu'il aille, chérit le cœur à lui confié,

1. Cheval de marche.
2. Taches blanches aux pieds d'un cheval.
3. Hypocrite, sournois.
4. Imitent, copient.
5. Voleurs, séducteurs (en amour).

et le rapporte. Mon seigneur Yvain a tué ma dame, car elle pensait bien qu'il garderait précieusement son cœur et qu'il le lui rapporterait avant que l'année ne fût écoulée. Yvain, tu t'es montré fort oublieux en ne sachant te souvenir que tu devais 30 revenir auprès de ma dame avant un an ; jusqu'à la fête de Saint-Jean, tel fut le délai qu'elle t'accorda ; et jamais depuis tu ne t'en souvins, tellement tu la dédaignas. Ma dame a marqué dans sa chambre tous les jours et tous les instants, car l'être qui aime est dans l'anxiété, et sans jamais pouvoir trouver 35 le vrai sommeil, compte et additionne toute la nuit les jours qui viennent et s'en vont. C'est ainsi que procèdent les amants loyaux pour lutter contre le temps qui passe.

Ces griefs[6] ne sont ni déraisonnables ni prématurés et mon propos n'est pas de faire un réquisitoire, la seule doléance[7] est 40 que nous a trahis celui qui a outrepassé le délai fixé par ma dame. Yvain, ma dame n'a plus pour toi qu'indifférence, elle te fait savoir, par mon intermédiaire, de ne jamais revenir auprès d'elle et de ne pas garder son anneau davantage. C'est par moi, que tu vois ici présente, qu'elle te demande de le lui 45 envoyer : rends-le lui, il le faut. »

Yvain est impuissant à lui répondre, l'esprit, les mots lui font défaut ; la demoiselle alors s'élance et lui ôte l'anneau du doigt ; puis elle recommande à Dieu le roi et toute sa suite, sauf lui, qu'elle laisse en grand désarroi[8]. Et son désarroi ne fait que 50 croître, tant ce qu'il voit lui est pénible, tant ce qu'il entend l'importune ; il voudrait avoir fui, tout seul, dans une terre si sauvage que l'on ne sût où le chercher et qu'il n'y eût personne au monde pour connaître de ses nouvelles, non plus que s'il fût au tréfonds de l'enfer. Il ne hait rien tant que lui-même et 55 ne sait qui pourrait le consoler d'être l'artisan de sa propre

6. Motifs de plainte, reproches.
7. Récrimination, plainte.
8. Trouble, angoisse.

mort. Mais il aimerait mieux perdre l'esprit que de ne pouvoir se venger de lui-même, pour s'être ravi le bonheur. Il quitte la société des barons car il craint, parmi eux, de perdre la raison ; ignorant tout de son état, ils le laissent partir seul : ils 60 comprennent qu'il n'a souci ni de leurs propos ni de leur commerce[9].

Il erre tant que le voilà fort loin des tentes et des pavillons. Alors il lui monte à la tête un tel vertige que sa raison le quitte ; il déchire et lacère[10] ses vêtements, s'enfuit par les champs et 65 par les labours, laissant désemparés ses gens qui se demandent où il peut bien être : ils vont le cherchant, à droite et à gauche, par les logis des chevaliers, par les haies et par les vergers ; mais ils le cherchent là où il n'est pas. Et le malheureux court à toutes jambes jusqu'à ce qu'il trouve, près d'un enclos, un valet qui 70 tenait un arc et cinq flèches barbelées, très acérées et larges. Yvain s'approche du valet pour lui ravir[11] le petit arc et les flèches qu'il avait à la main. Cependant il n'avait plus souvenir d'aucun de ses actes passés. À l'affût des bêtes dans la forêt, il les tue et se repaît de la venaison[12] toute crue. [...]

9. Fréquentations, relations.
10. Met en lambeaux.
11. Prendre, voler.
12. Chair de gros gibier comme le cerf et le sanglier.

Il rôdait dans les bois depuis longtemps, comme une brute privée de raison, quand il trouva la maison d'un ermite, très basse et très petite. L'ermite défrichait. Apercevant cet homme nu, il comprit aussitôt, sans nulle hésitation, que sa raison l'avait abandonné ; c'était un fou, il en fut convaincu ; et tout effrayé, il se réfugia dans sa maisonnette ; mais, par charité, le saint homme prit de son pain et de son eau qu'il lui mit, hors de sa maison, sur le rebord d'une étroite fenêtre ; l'autre s'approche, plein de convoitise, prend le pain et y mord ; jamais, me semble-t-il, il n'en avait goûté d'aussi grossier ni d'aussi âpre ; la mouture[13] dont ce pain avait été fait n'avait pas coûté vingt sous le setier[14], mais une faim immodérée et excessive force à manger n'importe quoi : mon seigneur Yvain dévora tout le pain de l'ermite et il le trouva savoureux ; puis il but de l'eau froide au pot.

13. Grain moulu.
14. Ancienne mesure de capacité qui variait selon le pays et la nature de grain.

Dès qu'il a mangé, il se jette à nouveau dans la forêt pour y traquer biches et cerfs ; et le saint homme sous son toit, quand il le voit partir, prie Dieu de le garder du forcené[15] et de ne plus le ramener de ce côté. Mais il n'est personne, ayant tant soit peu de bon sens, qui ne retourne de grand cœur au lieu où on lui fait du bien. Depuis, le dément ne laissa passer huit jours, tant qu'il vécut dans cette frénésie, sans déposer sur le seuil de l'ermite quelque bête sauvage. C'est la vie qu'il mena dès lors : le saint homme s'occupait de l'écorchement et faisait cuire du gibier en suffisance ; et le pain, l'eau et la cruche se trouvaient chaque jour à la fenêtre pour rassasier le forcené ; il avait comme nourriture de la venaison sans sel et sans poivre et de la froide eau de source comme boisson. Et le saint homme se donnait la peine de vendre les cuirs et d'acheter du pain d'orge et de seigle sans levain ; l'affamé eut, dès lors, à pleine ration, du pain en abondance et de la venaison, que l'ermite lui fournissait.

Yvain vit ainsi jusqu'au jour où deux demoiselles le trouvent endormi, le reconnaissent et lui frottent les tempes avec un onguent magique préparé par la fée Morgane. À son réveil, Yvain a retrouvé la raison et la mémoire.

15. Fou, hors de son bon sens.

Questions

Repérer et analyser

La situation d'énonciation

1 **a.** À qui la demoiselle s'adresse-t-elle au début de son discours ? Au nom de qui parle-t-elle ?
b. Par quel pronom Yvain est-il alors désigné ?
c. À partir de quelle ligne s'adresse-t-elle directement à Yvain ? Le tutoie-t-elle ou le vouvoie-t-elle ? Compte tenu de la hiérarchie sociale, devrait-elle le tutoyer ou le vouvoyer ? Qu'en déduisez-vous sur ses sentiments à l'égard d'Yvain ?
2 Qui est désigné par le pronom personnel « nous » dans l'expression « nous a trahis » (l. 40) ?
3 Relevez les interventions du narrateur dans les lignes 68 à 106. Par quel mot désigne-t-il Yvain ligne 68 ? Qu'en déduisez-vous sur les sentiments du narrateur à l'égard de ce personnage ?

Le cadre spatio-temporel

4 **a.** Dans quel lieu la demoiselle rejoint-elle Yvain ? Que symbolise cet endroit ?
b. Où Yvain se réfugie-t-il ensuite ? Que symbolise ce lieu par rapport au précédent ?
5 Relevez les indications temporelles (l. 62 à 106). Sont-elles nombreuses ? Pouvez-vous déterminer avec précision combien de temps Yvain demeure dans la forêt ?

La progression du récit

6 Retrouvez les grandes étapes de cet extrait en repérant, à partir de l'intervention de la demoiselle, l'enchaînement des actions.
7 La rencontre d'Yvain avec l'ermite est-elle importante pour l'action ? Justifiez votre réponse.
8 Comparez la situation d'Yvain au début puis à la fin de l'extrait. Y a-t-il eu évolution ?

Le parcours du chevalier

La faute et le châtiment

9 **a.** Dans le discours de la demoiselle, relevez les noms et adjectifs qui qualifient Yvain. Sont-ils mélioratifs ou péjoratifs ? À quel champ lexical appartiennent-ils ?
b. Relevez également les mots et expressions appartenant au champ lexical opposé.

10 Quelle faute Yvain a-t-il commise ? En quoi a-t-il enfreint la morale chevaleresque ? Appuyez-vous sur les relevés précédents.

11 Quel est son châtiment pour une telle faute ?

12 Pourquoi la demoiselle reprend-elle l'anneau à Yvain ? De quoi était-il le symbole ?

13 Relevez les détails qui indiquent clairement que Laudine a attendu impatiemment le retour d'Yvain.

Une nouvelle épreuve : la folie d'amour

Le thème de la « folie d'amour » est fréquent dans les romans de chevalerie ; ainsi dans le roman de *Lancelot*, Lancelot ne supporte pas d'être séparé de Guenièvre : « Il lui est monté au cerveau une folie et une rage si violente que personne ne peut rester face à lui et il n'y a aucun de ses compagnons à qui il n'ait fait deux ou trois blessures » (*Lancelot*, trad. A. Micha, éd. 10/18, 1983, p. 266).

14 **a.** Comment réagit tout d'abord Yvain en entendant les paroles de la demoiselle ? Pourquoi fuit-il ensuite la cour et les chevaliers ?
b. À qui Yvain en veut-il essentiellement ? Relevez la phrase qui l'indique.

15 Quelles sont les manifestations de sa folie ? Relevez les termes qui appartiennent au champ lexical de la folie (l. 62 à 106).

16 **a.** Que symbolise sa fuite vers la forêt ? Pourquoi déchire-t-il ses vêtements ? De quelles armes s'empare-t-il ?
b. Relevez les termes qui apparentent Yvain à un animal. De quoi se nourrit-il ?
c. Quelle signification pouvez-vous donner à ces actes ?

17 En quoi cette étape, dans l'itinéraire d'Yvain, constitue-t-elle une nouvelle épreuve ?

Un personnage : l'ermite

18 Qu'est-ce qu'un ermite à l'époque de Chrétien de Troyes ? Ce mot a-t-il le même sens aujourd'hui ?

19 **a.** Quelle est la première réaction de l'ermite en apercevant Yvain ? Relevez les termes qui l'indiquent. Quels sentiments contradictoires éprouve-t-il ensuite ?

b. Comment réagit-il ensuite ? Comment l'ermite s'y prend-il pour ramener Yvain à la civilisation ? Sur quel système économique reposent les rapports entre les deux hommes ?

c. L'ermite est-il, pour Yvain, un adjuvant ou un opposant ? Justifiez votre réponse.

Écrire

Exercice d'orthographe

20 À partir de la ligne 28 et jusqu'à la ligne 37, récrivez le texte en remplaçant le pronom personnel « tu » par le pronom « il ».

Rédiger une argumentation

21 Imaginez qu'Yvain cherche à répondre. Que pourrait-il dire à la demoiselle pour sa défense ?

Extrait 7

« Le lion s'en va côte à côte avec lui... »

Les demoiselles qui ont guéri Yvain de sa folie l'emmènent au château de leur maîtresse, la dame de Noroison. Celle-ci est menacée par le comte Alier et Yvain décide de la défendre. Vainqueur, il fait le comte prisonnier et le livre à la dame. Puis, sans accepter de récompense, Yvain s'en va.

Mon seigneur Yvain chemine, pensif, à travers une forêt profonde ; soudain il entend, au cœur des fourrés, un grand cri de douleur. Il se dirige alors de ce côté et quand il y parvient, il voit dans un essart[1], un lion qu'un serpent tenait par la queue en lui brûlant l'échine d'une flamme ardente. Mon seigneur Yvain ne s'attarde guère à contempler ce prodige, mais il délibère[2] en lui-même : auquel des deux va-t-il porter secours ? C'est dit, il se rangera du côté du lion, car aux êtres venimeux et félons[3] on ne doit faire que du mal ; or, le serpent est venimeux, du feu lui jaillit de la gueule tant il est plein de félonie. Aussi mon seigneur Yvain se décide-t-il à le tuer d'abord ; il tire son épée, s'avance et met son écu devant son visage pour éviter la brûlure des flammes que l'animal vomit par une gueule plus large qu'une marmite. Si ensuite le lion l'assaille, la bataille ne lui manquera pas, mais pour l'instant le chevalier, quoi qu'il advienne, veut lui venir en aide, car Pitié lui enjoint et le supplie de porter assistance à cette noble bête.

Avec son épée au tranchant bien affilé, il se lance à l'attaque du félon serpent ; il le tranche jusqu'à frapper le sol,

1. Terre défrichée. 2. Réfléchit. 3. Traîtres, déloyaux.

25 et des moitiés fait des tronçons[4], frappe et refrappe et lui assène tant de coups qu'il le décharne et le dépèce tout entier. Mais il lui faut trancher un morceau de la queue du lion, où restait accrochée la tête du félon serpent ; il en tranche autant qu'il en faut, il ne peut guère moins.

30 Le lion délivré, il crut qu'il lui faudrait se mesurer à l'animal et subir ses assauts ; mais ce dernier était bien loin d'avoir de tels desseins[5]. Écoutez ce que fit alors le lion, comme il se conduisit en être noble et généreux, comme il se mit à exprimer sa soumission : il tendait vers lui ses deux pattes jointes et incli-
35 nait la tête vers le sol, en se dressant sur celles de derrière ;

***Yvain tuant le serpent*, miniature (XIVe siècle).**

4. Morceaux.

5. Idées, projets.

puis il s'agenouillait et mouillait de larmes toute sa face par humilité. Pour mon seigneur Yvain, aucun doute : l'animal marque sa gratitude et s'humilie devant lui, qui l'a fait échapper à la mort en tuant le serpent. Cette aventure le remplit de joie.

40 Il essuie son épée, souillée par le venin et l'ordure du monstre, la repousse au fourreau, puis reprend son chemin. Mais voici que le lion s'en va côte à côte avec lui : jamais il ne le quittera, et désormais, il l'accompagnera, voulant le servir et le protéger.

45 Le lion ouvre la voie quand soudain, tout en le précédant, il flaire sous le vent quelque gibier en train de paître ; la faim et l'instinct le poussent alors à chercher une proie et à chasser pour se procurer sa pâture[6], c'est la loi de Nature ; il suit quelque temps le fumet[7] et montre ainsi à son seigneur qu'il 50 a senti et dépisté l'odeur d'une bête sauvage. Puis il s'arrête et le regarde, car il veut le servir au gré de ses désirs ; il ne veut aller nulle part contre la volonté de son maître. Celui-ci comprend ce regard : le lion lui fait signe qu'il l'attend ; aucun doute, s'il reste sur place, le lion fera de même, et s'il le suit, 55 l'animal se saisira du gibier qu'il a flairé. Il l'excite alors par des cris, comme il eût fait d'un brachet[8], et le lion, aussitôt, repart, le nez au vent ; il ne l'avait nullement abusé[9], car à moins d'une portée d'arc, il aperçut dans un vallon un chevreuil qui paissait solitaire. Il décida de le prendre et y parvint dès 60 la première attaque, puis il en but le sang tout chaud. Quand il l'eut tué, il le jeta sur son dos, l'emporta et rejoignit son seigneur qui le tint dès lors en grande amitié, pour la profonde affection qu'il voyait en lui.

Il faisait presque nuit, aussi décida-t-il de camper sur place 65 et de dépouiller du chevreuil autant qu'il en voudrait manger.

6. Nourriture.
7. Odeur que dégage le gibier.
8. Petit chien de chasse.
9. Trompé.

Il se met donc à l'écorcher, lui fend le cuir au-dessus des côtes, et lui taille un filet de la longe[10], tirant le feu d'un caillou bis, il en allume du bois sec; puis il embroche son filet, et le fait rôtir bien vite; le voilà cuit à point; mais il prit bien peu de
70 plaisir à ce repas, car il n'avait ni pain, ni vin, ni sel, ni nappe, ni couteau ni rien d'autre. Tout le temps qu'il mangea, le lion resta allongé devant lui, dans une immobilité absolue, sans cesser de le regarder, jusqu'à ce qu'il eût mangé de son gras rôti, au point d'en être rassasié. Alors le lion dévora le reste
75 du chevreuil, et même les os. Le chevalier passa toute la nuit la tête appuyée sur son écu, se reposant du mieux qu'il put, mais le lion avait tant de bon sens qu'il veilla, soucieux de garder le cheval qui broutait l'herbe, sans risque d'engraisser.

Au matin, ils s'en allèrent ensemble, et le soir venu, ils menè-
80 rent, ce me semble, la même vie que la nuit précédente; cela dura une quinzaine de jours. Le hasard les conduisit à la fontaine, sous le pin. Hélas, peu s'en fallut que mon seigneur Yvain ne retombât dans sa folie, cette fois encore, en s'approchant de la fontaine, du perron et de la chapelle; mille fois,
85 il s'appelle malheureux et misérable et tombe évanoui tant sa douleur est grande; mais son épée, qui joue dans le fourreau, s'en échappe, la pointe vient se ficher dans les mailles de son haubert, à hauteur du cou, près de la joue; il n'est de maille qui ne s'ouvre, la lame lui tranche la peau sous le brillant
90 camail[11], et le sang dégoutte. À cette vue, le lion croit mort son compagnon et son seigneur; jamais encore il n'avait éprouvé un chagrin plus profond; il commence à montrer un désespoir extrême – jamais je n'entendis en conter un pareil – il se tord les membres, se griffe en rugissant, et veut mettre
95 fin à sa vie avec l'épée qui, pense-t-il, a tué son vaillant seigneur.

10. Moitié en long de l'échine du chevreuil depuis le bas de l'épaule jusqu'à la queue.
11. Armure de tête en tissu de mailles.

Avec les dents, il la retire de la blessure, la place sur un fût[12] tombé, cale son pommeau contre un arbre, de peur qu'elle ne se dérobe sous le heurt de son poitrail. Il allait accomplir son dessein, quand son maître revint à lui ; le lion s'arrêta net, alors qu'il courait à la mort avec l'élan brutal du sanglier furieux qui ne prend garde où il fonce. Voilà donc comment mon seigneur Yvain défaillit devant le perron.

Tandis qu'il s'abandonne à son désespoir, il aperçoit une femme enfermée dans la chapelle près de la fontaine. Il s'agit de Lunete, la demoiselle qui l'a sauvé et lui a permis d'épouser Laudine. Accusée de trahison et condamnée à mort, elle n'a trouvé personne pour la défendre. Yvain décide d'être son champion et de revenir, le lendemain, pour combattre, seul, contre les trois chevaliers qui accusent Lunete. En attendant, il s'éloigne.

12. Tronc d'un arbre.

Questions

Repérer et analyser

La situation d'énonciation

1 **a.** Relevez quelques interventions du narrateur.
b. Quel effet ses commentaires produisent-ils chez l'auditeur ou chez le lecteur ?

Le cadre spatio-temporel

2 **a.** Relevez les indications de lieu qui permettent de déterminer où se situe l'action.
b. En vous référant à d'autres extraits du *Chevalier au lion (Yvain)* et même à d'autres récits de chevalerie, dites en quoi ce lieu est souvent propice à l'aventure.

3 **a.** Relevez les indications temporelles.
b. Combien de temps s'écoule-t-il entre le début et la fin de l'épisode cité ?

La progression du récit

4 Relisez les lignes 1 à 78.
a. Citez le passage qui définit la situation initiale. Quel est l'élément modificateur ? Par quel mot est-il introduit ? Quelles actions s'enchaînent ?
b. Quel nouvel élément relance l'action à partir de la ligne 79 ?

Deux animaux symboliques : le lion et le serpent

5 Dans les lignes 1 à 22, relevez deux adjectifs qui caractérisent le serpent et un adjectif qui caractérise le lion. Lequel des deux animaux est valorisé ?

6 En quoi peut-on dire que le serpent est un animal merveilleux ? À quel animal vous fait-il penser ? Justifiez votre réponse.

7 Que symbolise traditionnellement le serpent ? Que peut symboliser le combat entre le lion et le serpent ?

Le parcours du chevalier

8 Quels arguments poussent Yvain à venir en aide au lion ? Relevez les connecteurs logiques qui les introduisent.

9 **a.** Quelle attitude le lion adopte-t-il pour remercier Yvain ? En quoi peut-on dire qu'il se comporte à la fois comme un animal et comme un homme ?
b. Que représente Yvain pour lui ? Justifiez votre réponse en citant deux mots précis du texte.

Étudier la langue

La langue du Moyen âge

10 Quels mots utilise-t-on en français moderne à la place de « écu », « haubert » et « camail » ?

Écrire

Écrire un récit d'imagination

11 Imaginez un récit dans lequel vous mettrez en scène un personnage qui sauve un autre personnage et qui est lui-même sauvé en retour.

Enquêter

Le serpent et le lion

12 **a.** Recherchez dans la mythologie, la littérature et la peinture, des scènes de combat au cours desquelles un héros affronte un animal fabuleux apparenté au serpent ou au dragon.
b. Recherchez la légende du lion de Némée (un des douze travaux d'Hercule).

13 Lisez la fable de La Fontaine « Le Lion et le Rat ». En quoi peut-on la rapprocher de l'épisode d'Yvain et du lion ?

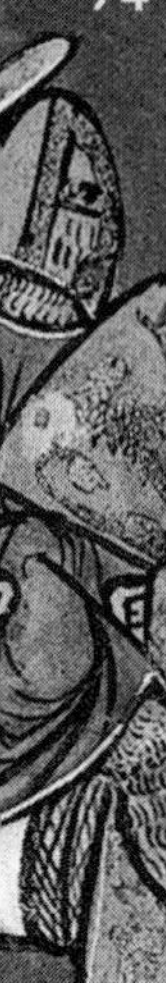

Comparer

La quête du Graal

Le thème de l'affrontement entre un lion et un serpent se retrouve dans *La Quête du Graal* :

« [Perceval] sur son chemin voit un serpent qui tenait entre ses dents par la peau du cou un petit lionceau et gagnait le sommet de la montagne, poursuivi par un lion rugissant et criant si douloureusement qu'il semble bien à Perceval qu'il s'afflige du petit être perdu. Aussitôt Perceval s'élance vers le sommet de la montagne. Mais le lion, plus leste, l'a dépassé et quand Perceval arrive au sommet il a déjà engagé le combat avec le serpent. Perceval voyant cela décide d'aider le lion, qui est bête plus naturelle et d'espèce plus gentille. Il tire l'épée, met son écu devant son visage pour se protéger des flammes et attaque le serpent d'un grand coup entre les oreilles… [Il] lui porte de rudes coups partout où il peut l'atteindre. Il finit par le frapper au même endroit qu'au début. L'épée s'enfonce facilement dans la tête dès que la peau en est entamée, car les os ne sont pas durs ; et le serpent tombe mort.

Quand le lion se voit délivré du serpent par le chevalier, il ne fait pas montre de le combattre, mais vient à lui, baisse la tête et lui fait fête autant qu'il le peut… Le lion ne cesse pas de remuer la queue, de lui témoigner toute sa joie. Et Perceval lui flatte le cou, la tête, les épaules, disant que Notre Seigneur lui a envoyé cette bête pour lui tenir compagnie et trouvant bien belle cette aventure. Tout le jour le lion resta avec lui. Mais à l'heure de none… il regagna son repaire. »

La Quête du Graal, éd. présentée et établie par A. Béguin et Y. Bonnefoy, éd. du Seuil, 1965, p. 136-137.

14 Comparez ce passage au texte d'Yvain. Quelles sont les ressemblances entre les deux scènes ?

Extrait 8

« Harpin de la Montagne »

À la recherche d'un abri pour la nuit, Yvain arrive en vue d'un château fort appartenant à un baron qui l'accueille à bras ouverts. Mais la tristesse règne au château et le seigneur en explique la cause.

« Eh bien, fait-il, je vais tout vous dire. Un géant m'a durement éprouvé : il voulait obtenir ma fille, qui l'emporte en beauté sur toutes les jeunes filles du monde. Ce cruel géant, que Dieu le confonde, se nomme Harpin de la Montagne ; il ne se passe de journée qu'il ne ravisse[1] de mes biens tout ce qu'il peut atteindre. Nul plus que moi ne doit se lamenter ni mener plus grand deuil ; le désespoir devrait me rendre fou, car j'avais six fils, tous des chevaliers, je n'en connaissais de plus beaux au monde ; tous les six, le géant les a pris ; sous mes yeux, il en a tué deux, et demain, il tuera les quatre autres, si je ne puis trouver quelqu'un qui se mesure à[2] lui pour libérer ces malheureux, ou si je me refuse à lui livrer ma fille [...] ».

Mon seigneur Yvain écouta sans perdre un seul mot le récit de son hôte. Puis, prenant à son tour la parole, il dit ce qu'il lui en semblait :

« Seigneur, vos malheurs m'ont ému et affligé au plus profond de l'âme, mais une chose me surprend : pourquoi ne pas avoir demandé assistance à la cour du grand roi Arthur ? Nul n'est doué d'un courage assez grand pour ne pas trouver à la cour de chevaliers brûlant de mesurer leur bravoure à la sienne. »

Alors le noble seigneur lui dévoile qu'il aurait eu un secours efficace, s'il avait su où trouver mon seigneur Gauvain :

1. Vole.

2. Se bat contre.

« Il n'aurait pas dédaigné ma demande, puisque mon épouse est sa sœur germaine[3] ; mais un chevalier de terre étrangère a emmené la reine qu'il est venu réclamer à la cour. Pourtant cette entreprise eût échoué, malgré toutes les tentatives, si Keu n'avait par la ruse obtenu du roi qu'il lui confiât la reine et la mît sous sa garde. Le roi fut bien irréfléchi et la reine bien folle de s'en remettre à son escorte ; toutefois le plus grave préjudice et la plus grave perte sont pour moi, car mon seigneur Gauvain, le preux, n'aurait pas manqué d'accourir pour protéger sa nièce et ses neveux, s'il eût appris ce qui est arrivé ; mais il ignore tout, et j'en éprouve un tel chagrin que mon cœur est prêt d'éclater : il s'est mis à la poursuite du ravisseur, que Dieu notre Seigneur accable de tourments pour avoir enlevé la reine. »

En l'écoutant, mon seigneur Yvain, bouleversé de pitié, pousse à tout instant de profonds soupirs ;

« Très cher seigneur, lui répond-il, je m'exposerais volontiers au péril de cette aventure, si le géant se présentait avec vos fils, assez matin[4] pour m'éviter de m'attarder, car je serai ailleurs qu'ici, demain à l'heure de midi, comme je l'ai promis.

– Cher seigneur, s'écrie son brave hôte, je vous rends, pour cette intention, cent mille grâces d'affilée. »

Et tous les gens du château de reprendre en chœur.

Alors parut la jeune fille : gracieux était son corps, et son visage beau et plein de charme ; elle s'avança, humble et silencieuse, sous l'effet d'un chagrin qui jamais ne cessait, la tête inclinée vers le sol ; sa mère était à ses côtés, car le seigneur, qui les avait mandées, voulait leur présenter leur hôte : elles venaient, enveloppées de leurs manteaux pour dérober leurs larmes aux regards ; mais il les invite à ouvrir leurs mantes[5] et à lever la tête :

3. Née des mêmes père et mère.
4. Assez tôt le matin.
5. Manteaux.

« Mon ordre, leur dit-il, ne doit en rien vous affliger, car dans sa providence, Dieu nous a donné un noble défenseur à l'âme généreuse, résolu, comme il nous l'assure, à se mesurer au géant. Ne tardez donc pas davantage, allez vous jeter à ses pieds.

– Dieu puisse-t-il ne pas m'offrir un tel spectacle, s'exclame aussitôt mon seigneur Yvain, il serait vraiment malséant que vînt se jeter à mes pieds, pour quelque raison que ce fût, la sœur ou la nièce de mon seigneur Gauvain ; que l'orgueil, Dieu m'en garde, ne m'envahisse au point que j'accepte un tel geste. Sinon je n'oublierais jamais la honte que j'éprouverais. Mais je leur saurais gré de reprendre courage jusqu'à demain, afin de voir si Dieu voudra les secourir. »

Yvain reste donc pour se mesurer à Harpin.

[Il] s'attarde si longuement que le géant arrive à vive allure, amenant avec lui les chevaliers ; il tenait, suspendu au cou, un pieu énorme, carré, au bout pointu, dont il les piquait sans répit ; quant à eux, ils portaient des vêtements qui valaient à peine un fêtu[6], n'ayant rien que des chemises sales et souillées ; pieds et poings étroitement ligotés, ils montaient quatre rosses claudicantes[7], efflanquées[8], chétives[9] et ensellées. La troupe chevauchait le long d'un bois ; un nain haineux comme un crapaud bouffi avait noué les roncins queue à queue, et allait côtoyant les quatre jeunes gens sans cesser de les cingler d'une escourgée[10] à six nœuds, c'était pour lui une prouesse ; il les battait si rudement qu'ils étaient tout en sang ; voilà de quelle ignoble façon le géant et le nain amenaient leurs victimes.

6. Brin de paille.
7. Mauvais chevaux boiteux.
8. Maigres.
9. De faible constitution, rachitiques.
10. Lanière, courroie.

85 Devant la porte, au milieu d'un espace découvert, le géant s'arrête et crie au noble seigneur qu'il provoque ses fils en un duel à mort, s'il ne lui accorde sa fille. [...]

Le malheureux père est près de devenir fou en entendant le scélérat clamer qu'il lui prostituera sa fille, ou que sur-le-90 champ, comme il va le voir, ses quatre fils seront tués ; sa détresse est si grande qu'il aimerait mieux mourir que vivre. Maintes fois il s'appelle misérable, infortuné, et laisse un libre cours aux pleurs et aux soupirs ; mon seigneur Yvain lui adresse alors ces propos, bien dignes d'un cœur noble et généreux :

95 « Seigneur, c'est un monstre de cruauté et d'arrogance[11], ce géant qui fanfaronne[12] sous vos murs ; mais Dieu puisse-t-il ne jamais permettre que votre fille soit à sa merci[13], comme il la méprise, comme il l'outrage ! Ce serait un affreux malheur qu'une aussi belle créature, née d'aussi haut parage[14], fût aban-100 donnée à des valets. Allons, mes armes, mon cheval ! Faites abaisser le pont, et laissez-moi sortir. Il faudra que l'un de nous deux soit terrassé, lui ou moi, je ne sais lequel. Si je pouvais humilier le félon, le cruel qui vous poursuit de ses persécutions, au point de le contraindre à libérer vos fils, et à venir 105 réparer ici-même les injures qu'il vous a lancées, alors je vous dirais adieu, et j'irais à mon affaire[15]. »

On lui sort son cheval, on lui apporte son harnois[16] complet, on s'empresse de le servir au mieux, et en un clin d'œil, le voilà tout prêt ; à l'équiper, on n'a pas lanterné[17], sinon le moins 110 possible. Quand le chevalier a toutes ses armes, il ne reste plus qu'à baisser le pont, pour le laisser partir ; on le lui baisse, mais pour rien au monde, le lion n'aurait renoncé à le suivre. Et ceux qui sont demeurés dans l'enceinte le recommandent

11. Insolence, suffisance.
12. Se vante.
13. En son pouvoir.
14. Haute naissance.
15. Yvain doit combattre pour délivrer Lunete, injustement accusée.
16. Équipement.
17. Tardé.

Yvain contre le géant Harpin, miniature (XIVe siècle).

au Sauveur, car ils tremblent pour lui d'une peur sans seconde,
115 à la pensée que le démon, le diable qui avait massacré tant de preux sous leurs yeux, au même endroit, ne lui réserve pareil sort. Aussi supplient-ils Dieu qu'il le préserve de la mort, qu'il le leur rende sain et sauf, et lui donne de tuer le géant. Chacun, selon ses vœux, prie Dieu avec ferveur. Le géant, plein d'une
120 farouche audace, se dirige vers lui, la menace à la bouche :

« Celui qui t'envoya ici ne t'aimait guère, par mes yeux ! Certes, il n'aurait pu mieux s'y prendre pour se venger de toi. Comme il a bien tiré vengeance de tout le mal que tu lui as causé !

– Trêve de bavardage, répond le chevalier qui ne le craint
125 en rien. Fais de ton mieux et moi de même : tes vains discours me lassent. »

Aussitôt, tout impatient de s'en aller, mon seigneur Yvain fond sur son ennemi ; il le frappe en pleine poitrine, sur la peau d'ours qui lui servait d'armure ; et le géant, de son côté, se rue
130 sur lui avec son pieu. Mon seigneur Yvain lui donne un tel coup, en plein milieu de la poitrine qu'il lui transperce la peau d'ours : dans le sang du géant comme dans de la sauce, il baigne le fer de sa lance, mais le monstre le frappe de son pieu avec tant de violence qu'il le fait ployer sous le choc. Mon seigneur
135 Yvain tire son épée, dont il sait donner de si rudes coups. Il trouve devant lui le géant sans armure, car celui-ci, trop confiant en sa force, dédaignait de se protéger ; le chevalier, l'épée brandie, part à la charge ; du tranchant et non du plat de l'arme, il l'atteint à la joue et y taille toute une carbonade[18], l'autre
140 riposte avec vigueur : le chevalier bascule jusque sur l'encolure[19] de son destrier. À ce coup, le lion se hérisse, et s'apprête à aider son maître ; il bondit de fureur, s'agrippe au géant de toutes ses forces et déchire comme une écorce le cuir velu ; au-dessous, il lui arrache un grand morceau de hanche, et lui

18. Tranche, morceau.

19. Correspond au cou chez le cheval.

tranche les nerfs et le gras de la cuisse ; le géant parvient à se dégager, tout en beuglant comme un taureau, car le lion l'a mis en bien triste état ; il lève son pieu à deux mains, pense frapper l'animal, mais le manque, car le lion fait un bond de côté. Le coup se perd et s'abat dans le vide, près de mon seigneur Yvain, qu'il n'atteint pas plus que son compagnon. Mon seigneur Yvain brandit son épée et, par deux fois, entrelarde[20] le monstre. Avant que celui-ci n'ait pu se reconnaître, il frappe de taille[21] et détache l'épaule du buste, il frappe d'estoc[22] et, sous la mamelle, lui enfonce jusqu'à la garde sa lame au travers du foie ; le géant s'écroule, la mort le presse ; un chêne immense, en s'abattant, n'eût fait, je crois, plus terrible fracas que le colosse dans sa chute. Quel coup ! tous ceux qui étaient aux créneaux brûlent d'en voir les effets. C'est là qu'on distingua le plus rapide, car tous courent à la curée, tels des chiens qui ont pris la bête, après l'avoir longtemps chassée. Ainsi couraient-ils sans se ménager, se ruant à l'envi, toutes et tous, vers l'endroit où gisait le géant, face en l'air. Le seigneur en personne y court, avec tous les gens de sa cour ; y court la fille, y court la mère ; la joie gagne les quatre frères, qui avaient souffert bien de maux ; pour mon seigneur Yvain, on est certain de ne pouvoir le retenir, quoi qu'il advienne, mais on le conjure de revenir pour se divertir et se reposer, dès qu'il en aura terminé avec l'affaire qui l'appelle. Il n'ose, répond-il, les assurer qu'il le fera, ne pouvant prévoir l'issue de son entreprise ; mais il désire, dit-il au seigneur, que sa fille et ses quatre fils prennent le nain et se rendent auprès de mon seigneur Gauvain, quand ils sauront ce qu'il est devenu, pour lui exposer comment il s'est comporté devant le géant, car il méprise sa vaillance, celui qui veut qu'elle reste inconnue. Et eux d'affirmer :

20. Transperce.
21. Avec le tranchant de l'épée.
22. Avec la pointe de l'épée.

175 « Jamais ne sera tu cet acte de bravoure, ce serait trop injuste. Nous nous conformerons en tout point à vos ordres, mais permettez, seigneur, cette seule question : quand nous serons en sa présence, de qui donc nous louer si nous ne savons votre nom ?

180 – Il vous suffira, répond-il, de lui déclarer, en vous présentant devant lui : le Chevalier au lion, voilà son nom, tel qu'il nous l'a dit ; je vous prierai aussi d'ajouter de ma part qu'il me connaît parfaitement comme je le connais moi-même, quoiqu'il ignore tout de moi ; je n'ai rien de plus à vous dire. »

Repérer et analyser

La situation d'énonciation

1 Qui parle dans les lignes 5 à 16 ?
2 Relevez les interventions du narrateur. Quel adjectif, ligne 88, signale son intervention et le jugement qu'il porte sur le père ?

Le cadre spatio-temporel

3 Dans quel lieu se déroule la scène (l. 1 à 117) ? Dans quel endroit Yvain va-t-il affronter le géant ?

La progression du récit

4 **a.** Quelle est la situation initiale du passage ? Quels sentiments éprouve le seigneur ? Citez un champ lexical à l'appui de votre réponse.
b. Quel événement permet la résolution de cette situation ?
c. Quelle est la situation finale ? Comparez-la avec la situation initiale.

Les êtres merveilleux : le nain et le géant (voir p. 18)

Le nain : dans les romans de chevalerie, le nain est un personnage négatif ; méchant, voire maléfique, il est méprisé par les chevaliers. D'après un grand nombre de légendes, le nain passe pour avoir des liens avec le royaume des morts et les divinités infernales.

5 Relevez les mots et expressions qui caractérisent le nain (l. 71 à 84). À quoi le nain est-il comparé ? Quel est l'effet produit par ce personnage sur le lecteur auditeur ?
6 **a.** Relevez les mots et les expressions utilisés par le narrateur pour désigner le géant Harpin.
b. Relevez les termes qui caractérisent son physique.
c. Quelles sont ses armes ?
7 Quel est le point commun entre le nain et Harpin ? Relevez toutes les expressions qui soulignent le jugement du narrateur à l'égard de ces deux personnages.
8 Quels méfaits Harpin a-t-il commis ?

Les combats (voir p. 25)

9 Qui sont les adversaires qui combattent ? Pour quelle raison combattent-ils ?

10 **a.** Relevez dans ce passage quelques détails qui traduisent la violence du combat.

b. Quel est l'effet produit par ces précisions ?

Le parcours du chevalier

11 Quel sentiment Yvain éprouve-t-il lorsqu'il entend le récit du seigneur ? Relevez les termes qui expriment ce sentiment.

12 Pour quelles raisons Yvain décide-t-il de venir en aide au seigneur ?

13 Pourquoi Yvain n'avait-il pas décliné son identité au seigneur qui l'accueillait ? Quel nom choisit-il après le combat ? Pour quelle raison, à votre avis ?

14 **a.** Avant qu'Yvain ne devienne fou, qu'est-ce qui l'intéressait plus particulièrement dans la chevalerie ? Pour répondre, demandez-vous pourquoi Yvain a tenté l'aventure de la fontaine (extrait 3, p. 27) et rappelez quelles ont été ses activités pendant plus d'un an, après qu'il eut quitté Laudine.

b. En quoi, depuis sa guérison, sa conception de la chevalerie a-t-elle changé ?

Les valeurs courtoises et religieuses

Les valeurs courtoises

15 Pourquoi Yvain est-il surpris que le seigneur n'ait pas demandé de l'aide à la cour du roi Arthur ? De quoi le roi est-il garant ?

Les valeurs religieuses

Les romans de chevalerie sont imprégnés des valeurs de la religion chrétienne. Les personnages font souvent appel à Dieu pour lui demander aide et protection.

16 Relevez le passage présentant une supplication à Dieu. Qui le supplie et de quoi ?

Écrire

Écrire un dialogue comportant une description

17 Ainsi que le lui a demandé le Chevalier au lion, le seigneur se rend à la cour du roi Arthur et raconte au roi et à Gauvain l'exploit dont il a été témoin. Imaginez leur dialogue. Vous introduirez une description du chevalier et de son compagnon le lion, propre à piquer la curiosité de Gauvain.

Lire

Le Chevalier de la charrette

18 Dans cet épisode, Chrétien de Troyes fait allusion à un autre de ses romans, *Le Chevalier de la charrette*, dans lequel la reine Guenièvre est enlevée par la faute du sénéchal Keu.
Lisez ce roman et faites-en un compte rendu oral à vos camarades.

Comparer

Le Chevalier de la charrette

Dans *Le Chevalier de la charrette* de Chrétien de Troyes, Lancelot, parti à la recherche de la reine, rencontre un nain qui conduit une charrette, symbole d'infamie.
À Lancelot, qui lui demande s'il a vu passer la reine, le nain répond que pour savoir ce qu'est devenue la reine, le chevalier doit monter dans la charrette, obligeant ainsi Lancelot à se déshonorer.

19 Retrouvez ce passage et comparez les deux textes.

Enquêter

Des héros contre des géants

20 Cherchez d'autres héros qui, comme Yvain, ont combattu des géants. Racontez brièvement leur aventure.

Extrait 9

« Elles tissaient des étoffes de fil et de soie... »

Après avoir vaincu le géant Harpin de la Montagne, Yvain s'en va, pressé de secourir la demoiselle de la chapelle. Sans révéler son identité, il affronte, en présence de Laudine, le sénéchal qui avait accusé Lunete à tort, ainsi que les frères de ce dernier, et les vainc. La dame pardonne à Lunete, mais Yvain, désespéré d'avoir revu Laudine sans qu'elle l'ait reconnu, s'éloigne vers d'autres aventures.

Pendant ce temps, une demoiselle fait rechercher « le Chevalier au lion, qui ne ménage pas sa peine pour secourir celles qui sont dans la détresse ». Yvain accepte de défendre sa cause et part avec son envoyée. En route, comme le soir descend, Yvain et la jeune fille s'arrêtent au château de la Pire Aventure.

Alors il se dirige vers la porte, avec son lion et la jeune fille ; le portier l'interpelle et lui lance :

« Venez vite, venez, vous voilà arrivé en un lieu où l'on saura vous retenir, soyez-y donc le malvenu. »

C'est ainsi que le portier l'encourage et le presse de monter, mais que d'insolence dans son invite ! Mon seigneur Yvain, sans daigner répondre, passe le seuil à sa barbe[1], et découvre une vaste et haute salle, récemment bâtie, et, par devant, un préau clos d'énormes pieux, pointus et ronds. Par les interstices[2] des pieux, il aperçoit des jeunes filles, trois cents peut-être, occupées à divers ouvrages : elles tissaient des étoffes

1. Devant lui, malgré lui.

2. Fentes, intervalles.

25 de fil et de soie, chacune de son mieux; mais tel était leur dénuement[3] que maintes de ces misérables n'avaient ni guimpe[4] ni ceinture, elles étaient si pauvres! Sur la poitrine comme aux coudes, leurs cottes[5] étaient déchirées et, dans le dos, leurs chemises souillées; elles avaient le cou amaigri et le visage pâli 30 par la faim et les souffrances. Il les voit, elles le voient: toutes baissent la tête et se mettent à pleurer; elles demeurent ainsi fort longtemps, n'ayant plus le cœur à rien, les yeux rivés au sol, si profond est leur désespoir.

Mon seigneur Yvain les regarde un instant puis, faisant volte-35 face, revient vers la porte; mais le portier s'élance à sa rencontre en s'écriant:

« Inutile, vous n'êtes pas près de quitter ces lieux, beau maître; vous voudriez bien, à l'heure qu'il est, vous retrouver dehors, mais par ma tête, c'est peine perdue; avant, vous aurez 40 essuyé tant d'outrages que vous ne pourriez en subir davantage. Quelle idée saugrenue[6] d'être venu ici, car il n'est pas question d'en sortir.

– Je n'en ai nul désir, fait-il, beau frère, mais dis-moi donc, par l'âme de ton père, d'où viennent-elles, les demoiselles que 45 j'ai vues dans ce château, ces tisseuses d'étoffes de soie et d'orfrois[7], dont les ouvrages me plaisent tant? Mais quel n'est pas mon déplaisir à les voir si dolentes[8], si pâles, si maigres de corps et de visage! Il me semble pourtant qu'elles seraient fort belles et fort gracieuses si elles disposaient de tout le nécessaire.

50 – Quant à moi, répond l'autre, je ne vous dirai rien, cherchez ailleurs qui vous renseigne.

– Soit, puisque c'est ma seule ressource. »

Il finit par trouver la porte du préau où travaillaient les demoiselles; il s'avance vers elles et les salue toutes ensemble;

3. Pauvreté.
4. Pièce de toile qui encadre le visage.
5. Robes.
6. Bizarre.
7. Broderies d'or.
8. Souffrantes.

55 et il voit tomber, goutte à goutte, les larmes qui leur coulaient des yeux, tandis qu'elles pleuraient. Il leur dit alors :

« Dieu veuille vous ôter du cœur et transformer en joie ce chagrin dont j'ignore la cause. »

L'une d'elles répond :

60 « Dieu vous entende, vous qui l'avez invoqué ! Nous ne vous cacherons pas qui nous sommes ni de quel pays nous venons, peut-être voulez-vous l'apprendre.

– Je ne suis pas venu pour autre chose, fait-il.

– Seigneur, il advint, il y a fort longtemps, que le roi de l'Ile-65 aux-Pucelles entreprit de voyager par les cours et les pays, en quête de nouveautés ; un beau jour, comme un innocent, il vint se jeter dans ce piège. Son imprudence eut de bien tristes conséquences, car nous, les captives qui sommes ici, nous en supportons la honte et les maux, sans l'avoir mérité. Et vous-même, 70 croyez-moi, vous pouvez vous attendre aux pires avanies[9], si l'on n'accepte votre rançon. Toujours est-il que mon seigneur se présenta dans ce château où habitent deux fils de démon ; n'allez pas croire que je vous serve d'une fable : ils sont bien nés d'une femme et d'un nétun[10]. Ces deux monstres devaient 75 combattre avec le roi : épreuve terrible, il n'avait pas dix-huit ans ; ils pouvaient l'égorger comme un tendre agnelet, et le roi, au comble de la terreur, se tira de ce mauvais pas au mieux qu'il put : il jura d'envoyer ici chaque année, tant qu'il serait en vie, trente jeunes filles de son royaume ; cette redevance le 80 libéra ; et il fut convenu par serment que ce tribut[11] ne prendrait fin qu'avec la mort des deux démons ; et le jour seulement où ils seraient vaincus en combat, le roi serait quitte de cette taille[12], et nous-mêmes délivrées, nous qui sommes vouées à une vie de honte, de douleur et de misère ; jamais plus nous

9. Affronts, mauvais traitements.
10. Démon, diable.
11. Contribution forcée.
12. Impôt.

85 n'aurons aucun plaisir. Mais c'est un pur enfantillage que de parler de délivrance, car jamais nous ne sortirons d'ici, toujours nous tisserons des étoffes de soie, et n'en serons pas mieux vêtues; toujours nous serons pauvres et nues, et toujours nous aurons faim et soif; jamais nous ne pourrons gagner assez
90 pour être mieux nourries. Du pain, nous en avons bien chichement[13], le matin peu et le soir moins encore, car jamais du travail de nos mains chacune n'aura pour son vivre que quatre deniers[14] de la livre; avec si peu, nous ne saurions avoir à suffisance nourriture et vêtement, car celle qui rapporte vingt sous[14]
95 par semaine n'en est pas pour autant quitte avec la misère. Et soyez-en sûr, il n'est aucune d'entre nous dont le travail ne rapporte vingt sous ou plus, de quoi faire la fortune d'un duc! Mais nous, nous sommes dans le dénuement, cependant que s'enrichit de nos gains le maître pour qui nous nous épuisons.
100 Nous veillons presque toute la nuit et travaillons tout le jour pour le profit de ce tyran, qui menace de nous mutiler si nous prenons quelque repos; aussi n'osons-nous pas nous reposer. Mais à quoi bon continuer? Nous sommes accablées de tant d'outrages et de maux que je ne saurais vous en dire le quart.
105 Mais ce qui nous rend folles de douleur, c'est que bien souvent nous voyons mourir de jeunes chevaliers pleins de vaillance, au cours de leur combat contre les deux démons; ils paient très cher le gîte qu'on leur offre, comme vous le ferez demain, car tout seul et sans aide, il vous faudra, bon gré mal gré, combattre
110 ces deux diables incarnés et y laisser votre réputation.

– Dieu, le vrai roi des cieux, fait mon seigneur Yvain, m'accorde protection, et qu'il vous rende honneur et joie, si tel est son vouloir. Il me faut à présent vous quitter, pour voir quel accueil me feront les gens de ce château.

13. Peu.
14. Il faut 240 deniers pour faire une livre (1 livre = 20 sous). Une tisseuse qui gagne 4 deniers touche la 60e partie de ce que son travail rapporte au seigneur. C'est un salaire misérable.

Manuscrit français 1433, BNF, Paris.

Extrait 9

115 – Allez, seigneur, et que vous garde Celui qui prodigue et dispense tous les biens […] ».

Le seigneur du château lui fait bon accueil. Mais au moment de repartir, Yvain en est empêché par la coutume.

Après la messe, mon seigneur Yvain apprit une nouvelle bien 120 fâcheuse : il pensait partir sans difficulté, mais ne put agir à sa guise. Quand il dit : « Seigneur, je m'en vais, si vous le permettez, avec votre congé », le maître de maison lui répondit :

« Ami, il n'est pas temps encore de vous l'accorder. Je ne le puis avec juste raison : dans ce château est établie une coutume 125 diabolique fort redoutable, que j'ai l'obligation de respecter. Je vais faire venir ici deux de mes serviteurs, très grands et très forts ; contre eux deux, de gré ou de force, il vous faudra prendre les armes. Si vous parvenez à leur résister, à les vaincre et les tuer tous les deux, ma fille vous prend pour époux, et 130 ce château vous attend, avec toutes ses dépendances.

– Seigneur, fait le chevalier, je ne veux rien de votre terre. Dieu m'en refuse à ce prix la moindre parcelle, et gardez votre fille, l'empereur d'Allemagne serait enchanté de l'avoir pour épouse, car elle est d'une grande beauté et d'une parfaite éducation.

135 – Taisez-vous, cher hôte, dit le seigneur, c'est vainement que vous vous dérobez : vous ne pouvez y échapper. Mon château, la main de ma fille et toute ma terre, c'est là ce qui doit revenir au chevalier capable de vaincre en champ clos vos futurs assaillants. Le combat ne peut faillir, il est inéluctable[15]. C'est 140 la couardise[16], j'en suis sûr, qui vous fait refuser ma fille : vous pensiez bien être hors d'affaire, mais soyez-en persuadé, il vous faudra combattre. Nul chevalier qui couche ici ne peut y échapper sous aucun prétexte. C'est une coutume bien

15. Inévitable.

16. Lâcheté.

établie, et qui n'est pas prête de prendre fin, car ma fille ne se
45 mariera point, avant que je n'aie vu les deux champions morts
ou vaincus.

– Eh bien, je m'incline, mais c'est malgré moi ; et je m'en serais passé avec joie, je vous l'assure ; j'irai donc au combat à mon vif déplaisir, puisque je ne peux l'éviter. »

50 Viennent alors, hideux et noirs, les deux fils du nétun. Tous deux avaient un bâton cornu de cornouiller[17], garni de cuivre et entouré de fil d'archal[18].

Yvain affronte les nétuns, qu'il vainc grâce à son lion : le premier est tué et le second demande grâce. Yvain obtient alors
55 *la délivrance des prisonnières, mais refuse d'épouser la fille du seigneur. Celui-ci, après avoir proféré des menaces, finit par le laisser repartir. Yvain se rend à la cour du roi Arthur, afin de secourir la demoiselle en détresse qui l'avait fait chercher.*

17. Petit arbre commun des bois et des haies, au bois dur.

18. Fil de laiton.

Questions

Repérer et analyser

La situation d'énonciation

1 Quels sont les trois interlocuteurs d'Yvain dans cet extrait ?

2 Relevez une intervention du narrateur au début de l'extrait. Quel jugement porte-t-il sur l'invitation du portier ?

Le cadre spatio-temporel

3 Quel est le nom du château où arrive Yvain ? Que laisse présager ce nom ?

4 Relevez les mots et expressions qui caractérisent la salle où se trouvent les jeunes filles. Quel est l'effet produit ?

5 Quel âge le roi avait-il lorsqu'il a été soumis aux conditions imposées par les deux démons ? Citez le texte.

6 Combien de temps Yvain passe-t-il dans ce château ? Appuyez-vous sur des indices précis.

Les personnages et leurs relations

Le roi (l. 64 à 85)

7 **a.** Qu'est-ce qui a poussé le roi de l'Ile-aux-Pucelles à voyager ? Dans quel piège est-il tombé ?
b. Comment a-t-il réagi alors ? Quelles sont les conséquences actuelles de sa réaction ?
c. Relevez les mots, expressions et comparaisons utilisés par la jeune fille pour décrire son roi. Quelle image donne-t-elle du personnage ?

Le seigneur

8 **a.** Comment traite-t-il les jeunes filles ? Par quels termes la jeune tisseuse le désigne-t-elle ?
b. À quelle « coutume » est-il soumis ?
c. Comment réagit-il lorsqu'Yvain refuse d'épouser sa fille (l. 119 à 146) ? Se conduit-il en seigneur digne de ce nom ? Quels sont les qualités et les devoirs d'un seigneur ?

L'hospitalité des personnages (voir p. 56)

9 **a.** Comment le portier accueille-t-il Yvain ? Sur quel ton s'adresse-t-il à lui ?
b. Yvain est-il habitué à un tel accueil ? S'en formalise-t-il ?
c. Quant au seigneur, comment qualifieriez-vous son accueil ? Justifiez votre réponse.

Le parcours du chevalier

10 Quels sentiments Yvain éprouve-t-il devant le spectacle que lui offrent les jeunes filles ?

11 **a.** Yvain a-t-il le même enthousiasme pour se battre que lors de l'épisode de la fontaine (voir l'extrait 3, p. 27) ? Justifiez votre réponse.
b. En quoi a-t-il évolué quant à ses motivations et à la nature de ses « exploits » ?

Le réalisme et le merveilleux

Les romans de chevalerie comportent des détails empruntés à la réalité de l'époque. Ces éléments réalistes sont mêlés aux éléments merveilleux.

12 Relevez les mots et expressions qui caractérisent les jeunes filles. Quel sentiment leur vue peut-elle susciter ?

13 Relevez tous les détails réalistes qui ponctuent le récit de la jeune fille.
a. Quel travail accomplissent les jeunes filles ?
b. Dans quelles conditions vivent-elles ?
c. Quels sentiments éprouvent-elles ? Appuyez-vous sur un champ lexical et dites quel est l'effet produit par la répétition des mots « toujours » et « jamais » (l. 85 à 95).

14 À quelle réalité de son époque Chrétien de Troyes fait-il allusion ? Quelle peut être la visée du passage ?

15 Quels sont les éléments « merveilleux » de ce passage ?

Étudier la langue

La langue du Moyen Âge

Voici quelques vers en ancien français, extraits du discours de la tisseuse :

> « Toz jorz mes de soie overrons,
> Ne ja n'an serons miauz vestues,
> toz jorz serons povres et nues
> Et toz jorz fain et soif avrons… »

16 **a.** Quels mots reconnaissez-vous ?
b. Quels mots pouvez-vous deviner ? Essayez de retrouver ce passage dans l'extrait ci-dessus.

Écrire

Écrire un récit de combat

17 Yvain affronte les nétuns et libère les jeunes filles. Racontez la scène. Vous réinvestirez d'une part le champ lexical de la violence (voir les récits de combat, p. 22-23, 27 à 30, 80 à 82). Vous exprimerez d'autre part la joie des jeunes filles.

Enquêter

Le thème du tribut

18 Le thème du tribut qu'un roi doit verser à un adversaire apparaît à plusieurs reprises dans les légendes et les récits de l'Antiquité et du Moyen Âge.
Recherchez un ou deux récits ou légendes et comparez-les à ce passage (nature du tribut à verser, attitude de celui qui doit le verser, héros qui livre le combat…).

Étudier une image

La miniature (p. 90-91)

19 Cette miniature du XIIIe siècle illustre un épisode qui se situe juste après le combat contre le géant Harpin de la Montagne (voir le hors texte p. 86, l. 1 à 7).

a. Cherchez dans le dictionnaire la définition du mot « miniature ».

b. La miniature regroupe toutes les péripéties de l'épisode. Retrouvez-les en découpant l'image en séquences. Appuyez-vous pour cela sur quelques éléments précis :
- combien de personnages comptez-vous ?
- combien de fois Yvain et Lunete apparaissent-ils ?
- quels sont les différents éléments du décor ?

c. Donnez maintenant un titre à cette miniature.

Extrait 10

« Les deux héros »

La demoiselle dont Yvain s'est fait le champion a été déshéritée injustement par sa sœur aînée, après la mort de leur père, le Seigneur de Noire Espine. Pour défendre ce qu'elle estime être ses droits, l'aînée a demandé son aide à Gauvain, considéré comme le meilleur chevalier du monde. Gauvain a accepté, à condition de garder l'incognito. Personne non plus à la cour d'Arthur ne sait qui est le véritable Chevalier au lion. Les deux chevaliers vont donc s'affronter en un combat loyal, sans se reconnaître.

Les voilà tous deux qui prennent du champ[1], incapables qu'ils sont de se reconnaître. Dès le premier choc, ils font voler en éclats leurs épaisses lances de frêne. Ils gardent le silence, mais s'ils s'étaient interpellés, leur assaut eût été bien différent. Ils n'auraient certes pas échangé, lors de cette rencontre, de coups de lance ni d'épée ; ils se seraient précipités dans les bras l'un de l'autre, plutôt que de se massacrer, alors qu'à présent ils s'écharpent et s'entre-tuent ; les épées n'y gagnent rien, ni les heaumes ni les écus qui ne sont que bosses et fentes ; les tranchants des épées s'ébrèchent et s'émoussent, car ils frappent à toute volée, de taille et non d'estoc[2], et font pleuvoir de tels coups de pommeaux[3] sur le nasal[4], le dos, le front, les joues, que les chairs en sont toutes bleuies, là où le sang afflue ; dans leur fougue à trancher les hauberts, à mettre en pièces les écus, aucun des deux ne reste indemne ; à force de combattre avec tant d'âpreté, peu s'en faut qu'ils ne soient

1. Reculent pour prendre de l'élan.
2. Du tranchant et non de la pointe de l'épée.
3. Tête arrondie de la poignée d'une épée.
4. Nez.

hors d'haleine ; si ardente est leur lutte qu'il n'est d'hyacinthe[5] ou d'émeraude serties[6] dans les heaumes qui ne soient broyées et arrachées, car de leurs pommeaux, ils s'assènent des coups si terribles qu'ils en restent tout étourdis, et que pour un peu ils se fendraient le crâne : leurs yeux jettent des étincelles, ils ont les poings robustes et massifs, les muscles puissants, les os solides, aussi s'appliquent-ils les plus rudes nasardes[7] de leurs épées qu'ils serrent dans leur poigne, et dont les formidables coups leur apportent un appui sans second.

Ils ont longtemps lutté, jusqu'à épuisement ; les heaumes sont brisés et les écus fendus et fracassés ; alors ils se séparent de quelques pas, le temps de laisser leur sang s'apaiser et de reprendre haleine. Mais la pause ne dure guère, déjà ils foncent l'un sur l'autre, avec plus de fureur qu'ils n'en avaient jamais montré. [...]

Devant une bataille aussi égale, nul n'est capable de trancher qui l'emporte ou qui a le dessous. Les combattants eux-mêmes, qui achètent l'honneur au prix du martyre, sont au comble de la stupeur en voyant à quel point leurs assauts se ressemblent ; chacun d'eux se demande avec étonnement quel est donc le héros qui lui résiste si farouchement. Le combat dure si longtemps que le jour décline ; tous deux ont le bras harassé, le corps meurtri. Le sang tout chaud, à gros bouillons, jaillit de leur corps par mainte blessure et coule sous les hauberts ; comment s'étonner qu'ils veuillent se reposer ? Leurs souffrances sont atroces.

Ils se reposent donc, et chacun estime à part lui qu'il vient de trouver son égal, après l'avoir tant attendu. Ils prolongent tous deux la pause, n'osant reprendre le duel ; ils n'ont pas envie de se battre davantage, car la nuit s'obscurcit, et chacun

5. Pierre précieuse jaune rougeâtre.
6. Enchâssées.
7. Coups sur le nez.

d'eux redoute fort son adversaire ; ces deux motifs les incitent vivement à demeurer en paix ; mais avant de quitter le champ de bataille, ils n'auront pas manqué de renouer leur amitié, et une joie mêlée de compassion les réunira.

60 Mon seigneur Yvain, dont la courtoisie égalait la vaillance, parla le premier, mais son grand ami lui-même ne le reconnut pas à sa voix, qui rendait ses paroles peu audibles[8], elle était enrouée, faible et cassée, car tout son sang bouillonnait sous l'effet des coups qu'il avait reçus.

65 « Seigneur, dit-il, la nuit approche : je ne crois pas que vous encouriez blâme ni reproche, si la nuit nous sépare. Je puis dire, quant à moi, que vous m'inspirez une immense crainte, et autant d'admiration. Jamais de ma vie je n'ai engagé un combat dont j'ai eu tant à souffrir, ni rencontré un chevalier 70 que j'aurais autant voulu connaître. J'ai pour vous la plus haute estime, car j'ai pensé me voir vaincu. Avec quel art vous assénez vos coups, avec quel art vous les placez ! Jamais chevalier de ma connaissance ne sut me payer autant de coups ; et j'aurais préféré en recevoir bien moins que vous ne m'en avez 75 prêté aujourd'hui, j'en suis tout étourdi.

– Par ma foi, répond mon seigneur Gauvain, vous avez beau être assommé et moulu[9] je le suis autant, sinon plus. Mais si j'apprenais qui vous êtes, peut-être n'en serais-je pas fâché. Si je vous ai prêté du mien, vous me l'avez bien rendu, intérêt 80 et principal[10], car vous mettiez plus de largesse à rendre que moi je n'en mettais à prendre. Enfin, quoi qu'il advienne, puisque vous désirez savoir mon nom, je ne vous le cacherai pas, je suis Gauvain, le fils du roi Lot. »

Cette révélation laisse Yvain stupéfait, éperdu ; de rage et de 85 désespoir, il jette à terre son épée encore toute sanglante et son écu réduit en pièces ; il descend de cheval et s'écrie :

8. Peu perceptibles.
9. Brisé de fatigue.
10. Somme constituant une dette ; ici, cela signifie que le chevalier a bien combattu.

« Hélas ! Quelle infortune ! Une funeste méprise nous a fait nous affronter sans nous être reconnus ; car jamais, si j'avais su qui vous étiez, je ne vous eusse livré bataille : j'aurais déclaré renoncer par avance au combat, je vous l'assure.

– Comment, fait mon seigneur Gauvain, qui êtes-vous donc ?

– Je suis Yvain, qui vous aime plus que nul être sur la terre, si vaste soit-elle, car vous m'avez toujours aimé et honoré dans toutes les cours. Mais je veux, en cette affaire, vous offrir réparation et vous rendre honneur : je me reconnais pleinement vaincu.

– Vous feriez cela pour moi, dit mon seigneur Gauvain, ce modèle de douceur. En vérité, je serais bien outrecuidant[11], si j'acceptais cette réparation. Cet honneur ne me reviendra pas, il est à vous, je vous l'abandonne.

– Ah ! cher seigneur, n'en dites pas plus, il ne saurait en être ainsi ; je ne peux plus tenir debout, tant je suis épuisé, exténué.

– Vraiment, vous perdez votre peine, lui répond son ami et compagnon. C'est moi qui suis vaincu et mal en point, et ce n'est pas flatterie de ma part, car il n'existe au monde d'étranger à qui je n'en eusse dit tout autant, plutôt que de continuer à essuyer des coups. »

Tout en parlant, ils mettent pied à terre, puis, se jetant dans les bras l'un de l'autre, ils s'embrassent et n'en finissent pas de se proclamer vaincus.

Cette dispute s'éternise : le roi et les barons accourent et font cercle autour des deux héros ; ils les voient se congratuler[12], et sont impatients de savoir pourquoi, et d'apprendre quels sont ces jouteurs qui se font une telle fête.

« Seigneurs, fait le roi, dites-nous d'où viennent cette amitié et cet accord soudains. N'ai-je donc pas vu, tout le long du jour, la discorde et la haine régner entre vous ?

11. Présomptueux, insolent.

12. Échanger des compliments.

– Sire, répond mon seigneur Gauvain, son neveu, on ne vous taira rien de l'insigne[13] infortune qui a provoqué ce combat. 120 Puisque vous tenez à l'apprendre, il est juste qu'on vous dise tout. Moi, Gauvain, votre neveu, je n'ai pas reconnu mon compagnon, mon seigneur Yvain que voici, jusqu'à ce qu'enfin, grâce lui en soit rendue, il s'enquît de mon nom, ainsi qu'il plut à Dieu. Nous nous dîmes qui nous étions, et ne nous recon- 125 nûmes qu'après nous être bien battus. [...] »

Le roi décide alors de rendre son jugement.

« Seigneurs, fait-il, une grande amitié vous unit, vous le montrez bien en vous avouant vaincus tour à tour ; mais remettez-vous en à moi, je vais réconcilier les plaignantes, je crois, d'une manière 130 qui sera à votre honneur, et tout le monde m'en louera. »

Les deux amis promettent de respecter à la lettre la décision qu'il fera connaître. Le roi répond qu'il va trancher le différend en toute équité.

« Où est, fait-il, la demoiselle qui a chassé sa sœur hors de 135 sa terre et l'a déshéritée de force et sans pitié ?

– Sire, me voici, s'écrie la sœur aînée.

– Vous êtes là ? Approchez donc ! Je savais depuis longtemps que vous cherchiez à la déshériter. Son droit ne lui sera plus contesté, car vous venez de m'avouer la vérité. Il vous faut, de 140 nécessité, renoncer sur sa part à toute prétention.

– Ah ! sire roi, j'ai répondu à la légère et vous voulez me prendre au mot ? Par Dieu, sire, ne me lésez pas ! Vous êtes roi, vous devez vous garder de toute iniquité[14].

– Précisément, répond le roi, je veux rendre à votre sœur 145 ce qui lui revient, car jamais je n'ai eu le dessein de commettre

13. Remarquable, extraordinaire.

14. Injustice grave.

une injustice. Or, vous avez bien entendu que votre champion et le sien s'en sont remis à moi ; je ne prononcerai pas en votre faveur, votre tort est trop évident. Chacun des deux se déclare vaincu, si grand est son désir d'honorer l'autre. Je n'ai pas à tergiverser, puisque la décision me revient : ou vous obéirez fidèlement à mon arrêt, en renonçant à l'injustice, ou je proclamerai mon neveu vaincu par les armes, et ce sera encore bien pis pour vous, mais je ne le dirai qu'à contrecœur. »

Il n'avait nullement l'intention de le faire, mais il tentait seulement de l'effrayer et de l'amener, sous l'effet de la crainte, à rendre à sa sœur sa part d'héritage : il a fort bien compris que l'obstinée ne rendrait rien par la persuasion, et que seules la force ou l'intimidation pourraient l'y contraindre. En effet, tout alarmée, l'aînée lui dit :

« Cher sire, il me faut donc accomplir votre volonté, et c'est pour moi un crève-cœur ; mais j'obéirai quoi qu'il m'en coûte : ma sœur aura de mon héritage ce qui lui revient ; vous-même serez ma caution, pour qu'elle soit plus assurée.

– Donnez lui donc sa part en fief sans plus attendre, répond le roi, qu'elle la tienne de vous et devienne votre femme-lige ; aimez-la comme telle, et qu'elle vous aime comme sa dame et sa sœur germaine. »

C'est ainsi que le roi règle l'affaire : la cadette entre en possession de sa terre, et le remercie de grand cœur. Puis il dit à son neveu, le chevalier vaillant et preux, de se laisser désarmer ; que mon seigneur Yvain, s'il y consent, fasse de même : ils n'ont à présent que faire d'armure. Une fois désarmés, les deux héros tombent dans les bras l'un de l'autre.

Tandis qu'ils s'embrassaient, voici que le lion accourt, à la recherche de son maître. Sitôt qu'il l'aperçoit, il lui fait fête. Mais quel sauve-qui-peut parmi la foule ! Même les plus hardis déguerpissent.

Yvain et Gauvain, miniature (XIVe siècle).

« Restez donc, s'écrie mon seigneur Yvain. Pourquoi vous
180 enfuir ? Nul ne vous poursuit ; ne craignez rien : ce lion ne vous fera aucun mal ; croyez-moi, je vous en conjure, il est à moi, et moi à lui ; nous sommes deux compagnons. »

Alors ceux qui avaient entendu évoquer les aventures du lion et de son compagnon n'hésitèrent plus : c'était bien lui le
185 chevalier qui avait tué le cruel géant. Et mon seigneur Gauvain lui dit :

« Seigneur compagnon, que Dieu me protège, vous m'avez bien mortifié[15] aujourd'hui. Je vous ai fort mal reconnu le service que vous m'avez rendu, en tuant le géant pour sauver
190 mes neveux et ma nièce. J'ai bien souvent pensé à vous, mais je restais perplexe[16], jamais je n'avais entendu parler, en quelque contrée où je fusse allé, d'un chevalier qui, à ma connaissance, fût surnommé le Chevalier au lion. »

Tandis qu'ils dialoguent, on les débarrasse de leur harnois[17] ;
195 le lion se précipite vers son maître, là où il est assis. Arrivé devant lui, il lui témoigne autant de joie que peut en montrer une bête qui ne sait parler.

15. Humilié.
16. Indécis, embarrassé.
17. Ensemble des pièces qui servent à équiper un cheval.

Repérer et analyser

La situation d'énonciation

1 Relevez la phrase dans laquelle le narrateur annonce à l'avance l'issue du combat. À quel temps sont les verbes ?

Le cadre spatio-temporel

2 Dans quel lieu et en présence de qui le combat se déroule-t-il dans cet extrait ?

3 Combien de temps le duel dure-t-il ? Relevez les indices de temps qui soulignent la longueur du combat.

La progression du récit

4 Quels sont les éléments qui permettent de faire durer le suspense en empêchant la reconnaissance des deux chevaliers :
- au début du combat ?
- quand Yvain prend la parole ?

5 Quelles sont les différentes actions qui s'enchaînent au cours de cet épisode ?

6 **a.** Quelle réaction l'arrivée du lion provoque-t-elle ?
b. Cet événement est-il seulement divertissant ou fait-il aussi progresser l'action ? Justifiez votre réponse.

Le parcours du chevalier

La scène du combat (voir p. 25)

7 Dans les lignes 10 à 51, relevez les termes qui désignent les armes et ceux qui indiquent la force et la violence du combat.

8 Quels sentiments animent les deux combattants (l. 10 à 40) ? En quoi ces sentiments évoluent-ils ensuite (l. 41 à 59) ?

9 **a.** Par quels traits les deux chevaliers se ressemblent-ils physiquement et moralement ? Quels termes soulignent qu'ils ont des réactions communes ?
b. En quoi leurs noms se ressemblent-ils ?

10 **a.** Dans les lignes 60 à 75, par quels procédés le narrateur exprime-t-il l'admiration d'Yvain pour son adversaire avant même de savoir qui il est ? Pour répondre, analysez notamment les types de phrases, le lexique, les répétitions…
b. Cette admiration est-elle réciproque ? Justifiez votre réponse.
11 Pourquoi, à votre avis, ce combat n'a-t-il pas de vainqueur ? Appuyez-vous pour répondre sur vos réponses aux questions précédentes.

L'enjeu du combat

12 **a.** Quelles motivations poussent Yvain à combattre ?
b. Pourquoi est-il désespéré lorsqu'il apprend l'identité de son adversaire ? Pourquoi se déclare-t-il vaincu ?
13 Comparez ce combat aux autres combats livrés par Yvain au cours du roman en examinant :
- le type d'adversaires qu'il affronte et le monde auquel ils appartiennent ;
- l'aide apportée ou non par le lion ;
- l'enjeu du combat ;
- son issue.

14 **a.** Quelle signification revêt, à votre avis, ce combat qui sera le dernier du roman ?
b. Qu'a retrouvé Yvain et que lui manque-t-il encore ?

Le monde arthurien : le roi Arthur et sa cour

15 Pourquoi est-il important que le combat ait lieu devant Arthur et sa cour ?
16 Que représente Gauvain dans le monde arthurien ? Quelle en est la conséquence pour Yvain ?
17 **a.** Montrez que le roi a fait preuve d'habileté pour savoir qui, des deux sœurs, était la coupable.
b. Par quels arguments le roi Arthur convainc-t-il la sœur aînée de rendre son héritage à sa cadette ?

Écrire

Écrire un récit comportant un dialogue

18 Imaginez la suite du passage et racontez comment le roi Arthur, puisque le combat s'est arrêté sans vainqueur ni vaincu, réussira à rendre la justice aux deux sœurs, tout en sachant que c'est la cadette qui a le droit pour elle. Introduisez un dialogue, au cours du récit – avant que le roi ne rende la justice – dans lequel chacune des deux sœurs donnera des arguments pour convaincre le roi de sa bonne foi.

Lire et comparer

Le duel judiciaire

Dans ce passage, Yvain défend la cause de la fille cadette du Seigneur de Noire Espine à qui sa sœur aînée (dont le champion est Gauvain) refuse sa part d'héritage ; en guise de procès, un duel judiciaire doit avoir lieu devant le roi. Même si Arthur est conscient de l'injustice que commet la sœur aînée envers sa cadette, il ne peut s'opposer à la coutume.

Le duel judiciaire est ainsi fréquent dans la littérature médiévale. Dans *La Chanson de Roland*, pour venger la mort de Roland, d'Olivier et de l'arrière-garde trahis par Ganelon, Charlemagne accorde un duel judiciaire ; Thierry sera le champion de l'empereur tandis que Pinabel défendra Ganelon.

« Sous Aix la prairie est très large : là sont mis aux prises les deux barons. Ils sont preux et de grande vaillance, et leurs chevaux sont rapides et ardents. Ils les éperonnent bien, lâchent à fond les rênes. De toute leur vigueur, ils vont s'attaquer l'un l'autre. Les écus se brisent, volent en pièces, les hauberts se déchirent, les sangles éclatent, les troussequins versent, les selles tombent à terre… »

La Chanson de Roland, CCLXXXI, traduction J. Bédier, éd. 10/18, 1982.

19 Retrouvez ce passage de *La Chanson de Roland* et lisez la suite. Puis comparez ce passage avec le combat d'Yvain et de Gauvain.

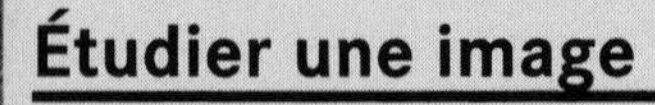

Étudier une image

La miniature (p. 104-105)

20 **a.** Quels passages du texte sont représentés sur cette miniature ? Retrouvez ces différents passages en découpant l'image en séquences.

b. Qui est le personnage situé à droite de la miniature ? Quels détails vous permettent de le reconnaître ? Quel geste fait-il ? Quel sens donnez-vous à ce geste ?

c. Décrivez le costume et l'armement des deux chevaliers représentés sur cette miniature. Comment le peintre souligne-t-il la violence de leur combat ?

d. À quel procédé graphique moderne cette miniature et celle des pages 90-91 s'apparentent-elles ? Vous justifierez précisément votre réponse.

Extrait 11

« Les retrouvailles d'Yvain et de Laudine »

Un médecin, appelé par le roi Arthur, soigne les blessures d'Yvain et de Gauvain.

Quand ils furent tous deux rétablis, mon seigneur Yvain, qui pour toujours avait soumis son cœur à l'Amour, comprit qu'il ne pourrait vivre ainsi plus longtemps, mais finirait par y laisser la vie, si sa dame n'avait pitié de lui, qui se mourait pour elle. Alors il décida de quitter seul la cour : il irait guerroyer à sa fontaine, il y déchaînerait une telle tempête de foudre, de vent et de pluie que sa dame en serait réduite à faire la paix avec lui, ou jamais il ne cesserait de livrer la fontaine à la tourmente, à la pluie et au vent.

Sitôt que mon seigneur Yvain se sentit guéri et valide, il partit à l'insu de tous[1], mais son lion ne le quitta pas : il ne voulait, de toute sa vie, abandonner sa compagnie. Leur voyage les conduisit à la fontaine et ils y firent pleuvoir. Ne croyez pas que je vous mente, mais l'ouragan fut si terrible que nul ne saurait en conter le dixième ; il semblait que la forêt tout entière dût s'engloutir dans le gouffre d'enfer ! La dame craint que son château lui aussi ne s'effondre : les murs chancellent, le donjon vacille, et peu s'en faut qu'il ne s'abatte. Le plus hardi d'entre les Turcs aimerait mieux être captif en Perse[2] que d'être dans ces murs. Les gens du château sont si effrayés qu'ils abreuvent[3] leurs ancêtres d'imprécations[4].

1. Sans que personne ne le sache.
2. Ancien nom de l'Iran.
3. Accablent, couvrent.
4. Malédictions.

« Maudit soit le premier qui construisit une maison dans ce pays, maudit ceux qui bâtirent ce château ! Sur la terre entière, ils n'auraient pu trouver d'endroits plus détestables, puisqu'un seul homme peut l'attaquer, le ravager, le dévaster. »

– Ma dame, dit Lunete, il vous faut prendre une décision. Vous ne trouverez personne qui aille se charger de vous porter secours, ou il faudrait aller bien loin ! Jamais en vérité, nous n'aurons de répit dans ce château, nous n'oserons franchir l'enceinte ni la porte. Eût-on rassemblé tous vos chevaliers en la circonstance, le meilleur d'entre eux n'oserait faire un pas, vous le savez fort bien. Ainsi donc, vous n'avez personne pour défendre votre fontaine, et vous aurez l'air d'une écervelée indigne de son rang ; quelle gloire pour vous, quand l'auteur de cet assaut partira sans combattre ! Vous voilà en fâcheuse posture, si vous ne songez autrement à vos intérêts.

– Toi qui en sais tant, répond la dame, dis-moi quel parti prendre, et je m'en remettrai à ton avis.

– Dame, croyez-moi, si je le pouvais, je vous conseillerais sans me faire prier, mais vous auriez grand besoin d'un conseiller plus avisé[5]. Aussi n'osé-je me mêler de tout cela, et comme les autres, j'endurerai et la pluie et le vent, jusqu'au moment où je verrai à votre cour, s'il plaît à Dieu, un chevalier assez vaillant pour se charger d'un tel combat. Mais j'ai bien peur que ce ne soit pas aujourd'hui, et tant pis pour vos intérêts. »

La dame lui répond aussitôt :

« Demoiselle, tenez-donc d'autres propos. Il n'est personne en mon château sur qui je puis compter pour défendre la fontaine et le perron. Mais s'il plaît à Dieu, nous allons voir votre sagesse à l'œuvre : c'est dans le besoin, on le dit toujours, que l'on éprouve son ami.

5. Sage.

Le pardon de Laudine, miniature (XIVe siècle).

55 – Dame, si l'on pensait trouver celui qui tua le géant et vainquit les trois chevaliers, il serait bon d'aller le chercher ; mais tant que sa dame restera son ennemi, et n'aura pour lui que ressentiment, il n'est au monde homme ni femme qu'il accepte de suivre, j'en ai peur ; il faudrait d'abord lui jurer et garantir 60 de faire l'impossible pour mettre un terme à sa disgrâce[6] auprès de sa dame, disgrâce si rigoureuse qu'il en meurt de douleur et de chagrin. »

Alors la dame :

« Je suis prête, avant que vous ne commenciez de le cher-65 cher, à vous donner la garantie de mon serment : s'il vient à moi, je m'emploierai, sans tromperie ni ruse, à lui obtenir le pardon qu'il souhaite, si du moins je le puis. »

Lunete réplique :

« Dame, je ne crains rien, vous réussirez dans cette entre-70 prise, si vous y êtes disposée ; mais quant au serment, ne vous en déplaise, je le recevrai avant mon départ.

– Je n'y vois aucun inconvénient, fait la dame. »

Lunete, experte en courtoisie, lui fit apporter promptement un reliquaire[7] de grand prix ; la dame se met à genoux. Lunete 75 l'a prise au jeu de la vérité, le plus courtoisement[8] du monde. À la prestation du serment, la fine mouche ne néglige rien pour se prémunir[9].

« Dame, dit-elle, levez la main. Je ne veux pas que d'ici peu, vous me reprochiez quoi que ce soit, il y va de votre intérêt et 80 non du mien. Si vous y consentez, prêtez donc le serment de consacrer loyalement tous vos efforts à la cause du Chevalier au lion, jusqu'à ce qu'il soit sûr de recouvrer la bienveillance de sa dame, comme il la possédait jadis. »

La dame lève alors la main droite et déclare :

6. Défaveur.
7. Coffret précieux renfermant des reliques, comme des ossements de saint.
8. Honnêtement.
9. Se protéger.

85 « Ce que tu as dit, je le redirai : avec l'aide de Dieu et de ses saints, je ne mettrai jamais de réticence[10] à m'y employer de toutes mes forces. Je lui ferai rendre l'amour et les bonnes grâces de sa dame, si j'en ai le pouvoir. »

Lunete est donc arrivée à ses fins ; elle ne souhaitait rien plus 90 ardemment que ce succès. Déjà l'attendait un palefroi doux à l'amble[11]. La mine ravie, l'air radieux, Lunete se met en selle ; sa chevauchée la conduit près du pin ; elle y rencontre celui qu'elle ne pensait pas trouver si près, croyant qu'il lui faudrait longtemps chercher avant d'arriver jusqu'à lui. À peine l'a-t-95 elle aperçu qu'elle le reconnaît à son lion. Elle vient vers lui au grand galop, puis saute à terre. Mon seigneur Yvain lui aussi l'a reconnue, du plus loin qu'il l'a vue. Après l'échange des saluts, elle lui dit :

« Seigneur, comme je suis contente de vous avoir trouvé si vite !

0 – Comment, dit mon seigneur Yvain, me cherchiez-vous donc ?

– Oui, assurément, et jamais je ne fus si heureuse, depuis que je suis née : j'ai conduit ma dame à redevenir comme jadis, sous peine de se parjurer, votre dame, et vous son seigneur. 5 C'est la pure vérité. »

Mon seigneur Yvain est au comble de la joie en apprenant cette nouvelle qu'il croyait ne jamais devoir entendre. Il ne peut exprimer toute sa gratitude à celle qui, pour lui, a tant obtenu. Lui couvrant de baisers les yeux et le visage, il lui dit :

« Certes, ma chère amie, jamais je ne pourrai, en aucune façon, vous récompenser. Je crains de ne trouver ni le moyen ni l'occasion de vous servir et de vous honorer.

– Seigneur, lui répond-elle, ne vous inquiétez pas ; n'en ayez nul souci, car vous aurez tout loisir de me dispenser

10. Mauvaise volonté.
11. Allure d'un cheval qui se déplace en levant en même temps les deux pattes du même côté.

115 vos bienfaits, à moi comme aux autres. Si j'ai accompli mon devoir, on ne doit point m'en savoir plus de gré qu'au débiteur qui rembourse sa dette. D'ailleurs, je ne crois pas encore vous avoir rendu ce que je vous devais.

– Si fait, Dieu me protège, et bien cinq cent mille fois au-

120 delà ! Nous partirons quand vous voudrez. Mais lui avez-vous révélé qui je suis ?

– Non, par ma foi, elle ne vous connaît que sous le nom de Chevalier au lion. »

Ainsi s'en vont-ils, tout en devisant, toujours suivis du lion,

125 et ils atteignent le château. Dans les rues, ils ne disent mot à âme qui vive. Les voici devant la dame.

Celle-ci était tout heureuse d'avoir appris le retour de sa suivante, accompagnée du lion et du chevalier, qu'elle brûlait de rencontrer, de connaître et de voir. Mon seigneur Yvain

130 tombe tout armé à ses pieds. Lunete est près de lui :

« Dame, dit-elle, relevez-le, et employez tous vos efforts et votre habileté à lui procurer paix et pardon, car vous êtes la seule au monde à pouvoir les lui obtenir. »

La dame alors le fait se relever et dit :

135 « Je lui suis toute dévouée, et je souhaite ardemment réaliser tous ses désirs, si j'en ai le pouvoir.

– Certes, dame, répond Lunete, je ne le dirais pas, si ce n'était pas vrai. Vous en avez l'entier pouvoir, plus encore que je ne vous l'ai dit. Maintenant, je vais vous révéler la vérité,

140 vous allez tout savoir : jamais vous n'eûtes et jamais vous n'aurez d'ami meilleur que celui-ci. Dieu, qui veut que règnent entre vous une parfaite paix comme un parfait amour que rien désormais n'interrompe, me l'a fait aujourd'hui rencontrer près d'ici. Et pour prouver ce que j'avance, inutile d'en

145 dire plus : dame, oubliez votre ressentiment, car il n'a d'autre dame que vous. Ce chevalier, c'est mon seigneur Yvain, votre époux. »

À ces mots, la dame tressaille :

« Dieu me sauve, s'écrie-t-elle, tu m'as bien attrapée. C'est donc celui qui n'a pour moi ni amour ni estime que tu prétends me faire aimer contre mon gré ! Le beau succès dont tu peux te vanter ! Le beau service que tu m'as rendu ! J'aimerais mieux, ma vie durant, souffrir vents et tempêtes, et si se parjurer n'était une action trop ignoble, jamais à aucun prix je ne lui accorderais la paix. Et toujours couverait en moi, comme le feu sous la cendre, ce dont je ne veux plus parler, et que je n'ai nulle envie d'évoquer, puisqu'il faut qu'avec lui je me réconcilie. »

Manuscrit français 12577, BNF, Paris.

Mon seigneur Yvain, comprenant alors que son affaire est en si bonne voie qu'il obtiendra paix et pardon, se met à l'implorer : « Dame, à tout pécheur miséricorde. J'ai payé mon aveuglement, ce n'était que justice. C'est la folie qui m'a retenu loin de vous, et je me reconnais coupable. Je fus donc bien hardi d'oser paraître devant vous ! Pourtant, si à présent vous consentez à me garder auprès de vous, jamais plus je ne commettrai la moindre faute à votre égard.

– Eh bien, j'accepte, répond-elle, car je serais parjure si je ne faisais tous mes efforts pour rétablir la paix entre nous ; puisque vous y tenez, je vous l'accorde.

– Dame, mille mercis, le Saint-Esprit me vienne en aide, Dieu ne pouvait ici-bas me donner plus de joie. »

Mon seigneur Yvain a donc obtenu son pardon et, croyez-m'en, jamais il n'éprouva tant de bonheur, après un désespoir aussi profond. Il est heureusement venu à bout de ses épreuves : il est aimé et chéri de sa dame, et il le lui rend bien. Aucun de ses tourments ne lui reste en mémoire, car la joie qui lui vient de sa si tendre amie les lui fait oublier.

Quand à Lunete, elle est aussi pleinement heureuse, elle est au comble de ses vœux, puisqu'elle a réuni pour toujours mon seigneur Yvain, le parfait amant, et sa chère amie, la parfaite amante.

Repérer et analyser

La situation d'énonciation

1 Qui les pronoms « je » et « vous » désignent-ils à la ligne 16 ?

Le cadre spatio-temporel

2 Les habitants du château se plaignent que celui-ci ait été construit dans « ce pays » (l. 25). De quel pays s'agit-il ? Appartient-il au royaume d'Arthur ?

Les personnages et leurs relations

Lunete et Yvain

3 **a.** Quelle relation Yvain entretient-il avec Lunete (l. 106 à 126) ? Justifiez votre réponse.

b. Pour quelle raison Lunete tient-elle autant à aider Yvain ? À quand remonte la confiance qu'elle ressent pour le chevalier ?

Lunete et Laudine

4 **a.** Quels reproches Lunete adresse-t-elle à Laudine ? Sur quel ton lui parle-t-elle ? Quels rapports les deux femmes entretiennent-elles ?

b. Est-ce la première fois qu'elle s'adresse à sa maîtresse de cette façon ? Justifiez votre réponse (voir les extraits précédents).

c. Quel stratagème Lunete utilise-t-elle pour obtenir la promesse de sa dame ? Quelle précaution prend-elle contre une réaction de Laudine ?

d. De quelle qualité fait-elle preuve ?

e. Quel sentiment Lunete éprouve-t-elle quand les deux époux se réconcilient ?

Laudine et Yvain

5 **a.** Pour quelle raison Laudine veut-elle connaître le Chevalier au lion (l. 127 à 130) ?

b. Pensez-vous que sans le serment fait à Lunete, la dame aurait pardonné à Yvain ? Justifiez votre réponse.

c. Quel est le principal trait de caractère de Laudine ?

Le devoir féodal

En tant que dame d'un château, Laudine doit assistance à ses gens ; c'est en partie pour cette raison qu'elle a épousé Yvain après la mort de son premier époux.

6 **a.** Devant le danger, quelle est la réaction des gens du château ? Laudine peut-elle compter sur ses vassaux pour défendre son château ? Justifiez votre réponse en citant le texte (l. 28 à 62).
b. Quelle est la solution qui s'offre à elle ?

Le parcours du chevalier

Les valeurs courtoises

7 Quelle décision Yvain prend-il pour faire céder Laudine ? Sur quel « code féodal » s'appuie-t-il (l. 3 à 11) ?

8 **a.** « Lunete, experte en courtoisie » (l. 73) : quel est le sens de cette expression ? Appuyez-vous sur l'étymologie du mot « courtoisie ».
b. Dites en quoi Lunete se montre courtoise vis-à-vis de Laudine, la dame.
c. Combien de fois Yvain est-il venu près de la fontaine ? Que représente-t-elle pour lui ?

9 **a.** Par quels divers sentiments Yvain passe-t-il au cours de cet épisode ? Qu'éprouve-t-il à la fin du passage ? En quoi Yvain est-il arrivé au terme de sa quête ?
b. La fidélité à l'amour peut-elle se concilier avec les devoirs de la chevalerie ? Justifiez votre réponse.

Écrire

Exprimer des sentiments

10 Vous avez commis une erreur et avez trahi la confiance d'un de vos amis. Conscient de votre faute, vous venez le trouver pour vous excuser. Racontez cette entrevue en insistant sur les sentiments éprouvés de part et d'autre.

Questions de synthèse

Le Chevalier au lion (Yvain)

L'œuvre

1 **a.** Qui a écrit le récit que vous venez de lire ?
b. Quand a-t-il été écrit ?
c. Connaissez-vous d'autres romans de cet auteur ? Donnez les titres de ces romans.

Le contexte historique

2 À quelle époque se déroule l'histoire d'Yvain ?
3 **a.** De quel roi célèbre Yvain est-il l'un des compagnons ?
b. Que savez-vous sur ce roi ?
4 Ce récit évoque certains aspects de la vie féodale au XIIe siècle. Citez-en quelques-uns.

Les personnages

Yvain

5 **a.** Quel type de chevalier Yvain est-il dans la première partie du roman (jusqu'à sa folie) ?
b. Sous quel nom est-il désigné ?
c. Que cherche-t-il à conquérir ?
d. Quels devoirs s'impose-t-il ?
6 **a.** A-t-il le même comportement après sa guérison ?
b. Au service de quoi et de qui se met-il ? Citez un ou deux exemples révélateurs de son attitude.
c. Quel nom se choisit-il ?
7 **a.** Quels changements son caractère a-t-il donc subis entre le début et la suite du roman ?
b. Est-il devenu meilleur chevalier ?

Le lion

8 **a.** Que symbolise traditionnellement le lion ?
b. En est-il de même ici ? Justifiez votre réponse.
9 **a.** Comment le lion se conduit-il envers Yvain ?
b. Pourquoi le lion devient-il un compagnon indispensable au chevalier ?

Dames et demoiselles

10 **a.** Quels sont les deux personnages féminins principaux du roman de Chrétien de Troyes ?
b. Quels liens les unissent ?
11 Quel rôle chacune jouera-t-elle auprès d'Yvain ?

Le parcours du chevalier

Le roman de chevalerie

12 Quel est le sens du mot « roman » à l'époque de Chrétien de Troyes ?

Le service de la dame

13 Rappelez comment l'amour du chevalier Yvain pour Laudine a pris naissance.
14 Laudine épouse-t-elle Yvain uniquement par amour ? Justifiez votre réponse.

La quête du chevalier Yvain

15 **a.** Que cherche Yvain au début du récit ?
b. Quelles rencontres importantes fait-il ? Qui sont ses adjuvants ? Qui sont ses opposants ?
16 **a.** Quelle faute Yvain a-t-il commise envers Laudine ?
b. Comment va-t-il tenter de se racheter ?
17 **a.** Que cherche-t-il à la fin du roman ?
b. Mérite-t-il à nouveau l'amour de sa dame ? Pourquoi ?

L'idéal chevaleresque

18 Quel sentiment, au début du roman, pousse Yvain à tenter l'aventure de la fontaine ?

19 Pour quelle raison Yvain demande-t-il son congé à sa dame ? Que craint-il ?

20 Avant sa crise de folie, que recherchait Yvain à travers les tournois ?

21 Après sa guérison, sa conception de la chevalerie est-elle la même ou a-t-elle évolué ?

22 De quelles valeurs chevaleresques le roi Arthur est-il le garant ? Relevez-en un exemple.

Le merveilleux

23 Relevez, dans les lieux, les personnages et les objets, les éléments qui introduisent dans le récit de Chrétien de Troyes une dimension « merveilleuse ».

Index des rubriques

Repérer et analyser

Écrire

Enquêter

Comparer

Se documenter

Étudier la langue

Lire

Étudier une image

Lire et comparer

Table des illustrations

Iconographie : Hatier Illustration avec la collaboration d'Édith Garraud
Cartographie : Domino
Graphisme : Mecano-Laurent Batard
Mise en page : ALINÉA
Achevé d'imprimer par BlackPrint CPI Ibérica S.L.U.- Espagne
Dépôt légal: 74715-1/12 - Novembre 2015